REPÈRES
PRATIQUES
NATHAN

D1543563

Le Guide de l'Europe des 12

François Boucher
José Echkenazi

NATHAN

© Éditions Nathan, Paris 1990. ISBN : 2-09-177685-8

Mode d'emploi

Chaque double page fonctionne de la façon suivante :

à gauche

Une page « Savoir » présente l'essentiel des données actuelles sur l'Europe.

Un repérage clair des parties de l'ouvrage

Quelques lignes d'introduction présentent l'unité de la page.

Un titre annonce le sujet de la double page.

à droite

Une page « Points de repère » apporte des éclairages sur des points particuliers ainsi que des informations pratiques.

L'Europe de l'automobile

L'automobile constitue de nos jours le moyen le plus couramment utilisé pour franchir les frontières, que ce soit pour des raisons privées ou pour des raisons professionnelles. Le marché de l'automobile est caractérisé par des différences de prix hors taxes importantes d'un État-membre à l'autre. Il est donc légitime que les citoyens de la CEE cherchent à acquérir une voiture à l'étranger.

L'industrie automobile en Europe

L'industrie automobile revêt une grande importance pour les pays de la CEE. Elle emploie près de 7 % des salariés de l'industrie et représente 6 % de la valeur ajoutée manufacturée dans la CEE.
Avec 12 millions de véhicules produits en 1988, la CEE est le premier constructeur mondial devant le Japon (8 millions de véhicules en 1988) et les États-Unis (7,1 millions de véhicules).

Le problème des importations de voitures japonaises

Les exportations de véhicules communautaires étaient de l'ordre de 1,7 million d'unités en 1988. Parallèlement, les exportations japonaises représentaient 10 % du marché européen (1,5 million de voitures vendues en CEE en 1988), la part de marché des constructeurs japonais différant sensiblement d'un État-membre à l'autre (de 1,8 % à 44,9 % en 1988).
Le marché japonais se révèle quant à lui relativement fermé aux importations européennes, avec des barrières non tarifaires très strictes, même si ces importations se sont accrues ces dernières années (31 000 voitures en 1983, 110000 voitures en 1988).
Le principe général est d'ouvrir totalement l'accès des voitures japonaises au marché communautaire dès 1993, ce qui suscite l'inquiétude des constructeurs européens, notamment français et italiens. C'est la raison pour laquelle la Commission a décidé la mise en place d'une période transitoire après 1993 pour l'ouverture du marché communautaire aux importations de voitures japonaises.

Acheter une voiture dans un autre État-membre

Tout ressortissant communautaire peut acquérir une voiture dans le pays CEE de son choix, un concessionnaire n'a pas le droit de refuser la vente d'un véhicule pour des raisons de nationalité ou de pays de résidence. Il ne peut non plus imposer un délai de livraison trop long, un acompte exagéré ou une augmentation de prix injustifiée.
Les concessionnaires agréés du constructeur du véhicule établis dans l'État d'importation n'ont pas le droit de refuser le service après-vente. La garantie du fabricant s'étend également à tous les garages de la marque concernée dans la CEE.

62

POINTS DE REPÈRE

◼ Le permis de conduire européen

• En attendant la création du permis de conduire européen, le permis de conduire national est valable pour se déplacer à travers toute la Communauté et pour tous les séjours à l'étranger de moins de trois mois.
• Lorsqu'un ressortissant communautaire s'installe dans un autre État-membre, il peut conduire dans cet État tout véhicule, quel que soit l'État d'immatriculation du véhicule. Toutefois, avant l'expiration d'un délai d'un an, il devra demander l'échange de son permis de conduire contre un permis de l'État de résidence.
• Depuis le 1er janvier 1986, les permis de conduire délivrés par les États-membres doivent être conformes à un modèle communautaire (c'est-à-dire de format standard). Le permis « modèle communautaire » est valable partout sans limitation de durée (s'il n'est pas délivré en Belgique, en Irlande, au Royaume-Uni, en Espagne et au Portugal).

◼ L'assurance automobile

L'assurance de la responsabilité civile automobile est obligatoire dans tous les pays de la CEE. Cette garantie globale permet la suppression du contrôle de la carte d'assurance dans tous les États-membres. Un tel contrôle est devenu d'autant plus inutile que chaque bureau national d'assurance-auto garantit le règlement des sinistres provoqués par les véhicules immatriculés dans l'un quelconque des États-membres.
Cette garantie des bureaux nationaux facilite le dédommagement des victimes d'accidents provoqués par des visiteurs. Les victimes ne doivent plus engager une procédure à l'étranger, mais peuvent s'adresser directement à leur bureau national d'assurance-auto qui réglera le sinistre avec le bureau du pays d'immatriculation de la voiture responsable.
Il faut noter que, à partir de 1993, tous les assureurs devront accorder leur garantie aux assurés sur l'ensemble du territoire communautaire, à partir du versement d'une seule prime d'assurance.

◼ Les dix premiers en Europe

Le Nouvel Économiste, 29 septembre 1989.

63

Sauf mention particulière, les chiffres, pourcentages et autres données concernant l'Allemagne se rapportent à la R.F.A. avant l'unification, puisqu'ils sont les seuls disponibles au sein de la Communauté Européenne.

La construction de l'Europe (1)

1945 Au lendemain de la Deuxième Guerre mondiale, les dirigeants du Vieux Continent prennent conscience que seule une Europe unie est capable d'assurer la paix politique et la reconstruction économique.

1946 Winston Churchill, qui a joué un rôle éminent en tant que Premier ministre britannique dans la lutte contre le nazisme, propose la création des « États-Unis d'Europe ».

09-05-1950 Robert Schuman, ministre français des Affaires étrangères, propose, à l'initiative de Jean Monnet, de mettre en commun la production et la consommation de charbon et d'acier dans le cadre d'une organisation européenne entre la France et l'Allemagne ouverte à tous les pays d'Europe.

18-04-1951 Traité de Paris instituant la Communauté européenne du charbon et de l'acier (CECA) signé entre six pays : la France, la République fédérale d'Allemagne, la Belgique, l'Italie, le Luxembourg et les Pays-Bas. Ce traité autorise la libre circulation du charbon et de l'acier entre les pays signataires. La communauté des Six est née.

25-03-1957 Les Six décident d'étendre le marché commun à l'ensemble des activités économiques. Deux traités sont signés à Rome :
— l'un donne naissance à la Communauté économique européenne (CEE);
— l'autre à la Communauté européenne de l'énergie atomique (EURATOM) qui prévoit le développement en commun et à des fins pacifiques de l'énergie nucléaire.

20-09-1960 Mise en place du Fonds social européen (FSE).

14-01-1962 Naissance de la Politique agricole commune (la PAC). Création du Fonds européen d'orientation et de garantie agricole (FEOGA).

01-07-1968 Entrée en vigueur de l'union douanière : élimination totale des droits de douane entre les Six et mise en application d'un tarif extérieur commun pour les produits en provenance des pays tiers.

22-04-1970 La Communauté se dote de ressources propres. Jusque-là, le budget communautaire était alimenté par des contributions financières nationales.

01-01-1973 Le Danemark, le Royaume-Uni et l'Irlande entrent dans la Communauté. L'Europe des Six devient l'Europe des Neuf. La Norvège, qui avait signé le traité d'adhésion, doit se retirer suite à un référendum populaire qui rejette l'adhésion par une majorité de 53 %.

10-12-1974 Les chefs d'État et de gouvernement acceptent de se réunir trois fois par an et chaque fois qu'ils le jugeront nécessaire en « Conseil européen » pour débattre non seulement des affaires de la CEE mais également des grandes questions de politique étrangère.

01-01-1975 Le FEDER (Fonds européen de développement régional) est créé pour aider les régions en difficulté.

28-02-1975 La CEE et 46 pays d'Afrique, des Caraïbes et du Pacifique (ACP) signent la convention de Lomé. La convention porte sur la coopération commerciale, industrielle et financière et assure le libre accès au marché communautaire de la quasi-totalité des produits originaires des ACP.

10-03-1979 Le SME (Système monétaire européen) est créé pour assurer une stabilité aux monnaies européennes. Il donne naissance à l'ECU (*European Currency Unit*), nouvelle unité monétaire européenne, appelée à devenir la monnaie européenne.

JEAN MONNET (1888-1979)

Jean Monnet peut être considéré comme le père fondateur de l'Europe communautaire. Il est à l'origine de la déclaration du 9 mai 1950, qui jette les bases de la Communauté européenne du charbon et de l'acier, plus connue sous le nom de Plan Schuman. Il fut le premier président de la Haute Autorité de la CECA (1952-1955). En 1955 il crée le Comité d'action pour les États-Unis d'Europe dont il demeurera le président. « La coopération entre les nations, si importante soit-elle, ne résout rien. Ce qu'il faut chercher, c'est une fusion des intérêts des peuples européens, et non pas simplement le maintien des équilibres de ces intérêts. »

ROBERT SCHUMAN (1886-1963)

Député démocrate-populaire de 1919 à 1940. Président du Conseil (nov. 1947-1948). Ministre des Affaires étrangères (1948-1953). Président du Mouvement européen (1955) puis de l'Assemblée parlementaire européenne à Strasbourg (1958-1960).
Lorrain né citoyen allemand, Robert Schuman redeviendra français après le retour de l'Alsace-Lorraine à la France. Il sera, avec Jean Monnet, un des promoteurs de la construction de l'Europe. Une obsession pour ce catholique militant : agir pour que toute guerre entre la France et l'Allemagne soit à jamais rendue impossible.

La construction de l'Europe (2)

07/10-06-1979 Première élection du Parlement européen au suffrage universel direct. Les citoyens des neuf États-membres de la Communauté élisent 410 députés européens. Le premier président du Parlement européen est Mme Simone Veil.

31-10-1979 Les Neuf signent avec 58 pays ACP la nouvelle convention de Lomé (Lomé II).

01-01-1981 La Grèce devient membre de la Communauté. C'est l'Europe des Dix.

25-01-1983 Création d'une politique commune de la pêche.

28-02-1984 Adoption du programme ESPRIT prévoyant une coopération européenne en matière de recherche et de technologie.

01-04-1984 Instauration des quotas laitiers.

14/17-06-1984 Seconde élection au suffrage universel direct de 434 parlementaires européens. Le nouveau Parlement élit Pierre Pflimlin, député français du Parti populaire européen, à la présidence.

08-12-1984 La troisième convention de Lomé (Lomé III) est signée entre les dix États-membres de la CEE et 65 pays ACP.

01-01-1985 Les premiers passeports européens sont mis en circulation dans la plupart des États-membres.

14-06-1985 La Commission européenne transmet au Conseil un livre blanc sur l'achèvement du marché intérieur d'ici à 1993 (300 propositions).

28/29-06-1985 Conseil européen à Milan : une conférence intergouvernementale est chargée de réviser le traité de Rome et de codifier sous forme de traité la coopération politique entre les Dix.

01-01-1986 La Communauté s'élargit à l'Espagne et au Portugal. C'est l'Europe des Douze.

27/28-02-1986 Signature à Luxembourg et à La Haye de l'Acte unique européen, modifiant le traité de Rome et prévoyant la réalisation, d'ici au 1er janvier 1993, d'un véritable marché intérieur sans frontières.

15-06-1987 Adoption du programme ERASMUS sur la mobilité des étudiants.

01-07-1987 Entrée en vigueur de l'Acte unique.

22-04-1988 Réforme de la PAC (mécanisme des stabilisateurs).

24-06-1988 Adoption d'une directive prévoyant la libération complète des mouvements de capitaux à partir du 1er juillet 1990.

17-04-1989 Rapport du « Comité Delors » sur la mise en place de l'Union économique et monétaire.

18-06-1989 Troisième élection au suffrage universel du Parlement européen (518 députés).

15-12-1989 Signature de la quatrième convention de Lomé liant les Douze à 68 pays d'Afrique, des Caraïbes et du Pacifique (ACP).

04-1990 Conseil européen de Dublin : approbation de la réunification de l'Allemagne par les Douze et engagement en faveur d'une future union politique de l'Europe.

19-06-1990 Signature à Schengen (Luxembourg) d'une convention qui assurera la suppression totale des contrôles aux frontières entre la France, l'Allemagne (y compris la RDA), la Belgique, les Pays-Bas et le Luxembourg.

07-02-1992 Signature du traité de Maastricht portant création de l'Union européenne.

05-1992 Seconde réforme de la PAC (réduction des interventions et des prix et aides directes aux agriculteurs).

ALTIERO SPINELLI (1907-1986)

Italien, né à Rome, Altiero Spinelli a été toute sa vie un militant de l'Europe. Fondateur dès 1943 du Mouvement fédéraliste européen, il est l'inspirateur de l'Acte unique européen. C'est en effet le vote par le Parlement européen, le 14 février 1984, du projet de traité sur l'Union européenne, dit «Projet Spinelli», qui a amorcé la prise de conscience de la nécessité d'une relance de l'Europe et a constitué le point de départ du processus qui aboutira à la signature de l'Acte unique européen.

JACQUES DELORS

Né le 20 juillet 1925 à Paris. Ancien ministre de l'Économie, des Finances et du Budget (1981-1984). Membre du Comité directeur du parti socialiste (depuis 1979). Ancien député européen (1979-1981). Jacques Delors a débuté sa vie politique comme syndicaliste (CFTC). Président de la Commission des communautés européennes depuis le 1er janvier 1985, Jacques Delors a conçu la relance de l'Europe et lui a fixé un horizon chiffré : 1992.

A la fois pragmatique et visionnaire, Jacques Delors s'est affirmé comme le véritable patron de l'Europe.

L'EUROPE PAR ÉTAPES

PASSER LES FRONTIÈRES

LES INSTITUTIONS

LES GRANDS ENJEUX

LA FORMATION

L'EUROPE ÉCONOMIQUE

TRAVAILLER EN EUROPE

L'EUROPE ET LE MONDE

France, Allemagne, Italie

Ces trois pays sont les fondateurs, avec les pays du Benelux, de la Communauté. L'axe franco-allemand est l'un des moteurs de la construction européenne. De même, l'Italie prend souvent des initiatives spectaculaires en faveur de l'Europe, telle sa décision d'autoriser des citoyens d'autres États-membres à se présenter aux élections européennes en Italie...

La France

— Superficie   :   544 000 km²
— Population (1990) :   56 millions d'habitants (dont 37,7 % d'actifs)
— PIB (1989)   :   870 milliards d'ECU (18 703 ECU/hab.)
— Monnaie   :   franc français. 1 ECU = 6,9 FF env.
— Régime politique et organisation administrative : la France est une république parlementaire, ayant un exécutif bicéphale (le président de la République et le gouvernement) et un parlement bicaméral (Assemblée nationale et Sénat). Elle est composée de 22 régions, 95 départements métropolitains et 10 départements, territoires et collectivités territoriales d'Outre-mer.

La République fédérale allemande

— Superficie (RFA + ex-RDA) : 357 020 km²
— Population (RFA + ex-RDA, 1990) : 78 millions d'habitants (dont 44 % d'actifs sans ex-RDA)
— PIB (1989, sans ex-RDA) : 1 070 milliards d'ECU (19 224 ECU/hab. sans ex-RDA)
— Monnaie : Deutsche Mark. 1 ECU = 2,05 DM env.
— Régime politique et organisation administrative : la RFA est une république fédérale, composée d'un État central, doté d'un gouvernement dirigé par un chancelier et de 2 chambres, le Bundestag et le Bundesrat, et de Länder (régions) ayant chacun un gouvernement et un parlement propres. L'État central a une compétence exclusive en matière d'affaires étrangères, de défense, de monnaie, de douanes, de transport aérien et de postes. L'éducation est de la compétence exclusive des Länder. Dans tous les autres domaines, les compétences sont partagées.

L'Italie

— Superficie   :   301 046 km²
— Population (1990) :   57,6 millions d'habitants (dont 36,2 % d'actifs)
— PIB (1989)   :   786 milliards d'ECU (17 841 ECU/hab.)
— Monnaie   :   lire. 1 ECU = 1 540 lires environ.
— Régime politique et organisation administrative : l'Italie est une république parlementaire, composée d'un gouvernement dirigé par un président du Conseil, d'un président de la République, et d'un parlement bicaméral (la Chambre des députés et le Sénat). L'Italie compte 20 régions dotées d'une forte autonomie.

Belgique, Pays-Bas, Luxembourg

Ces trois pays, cofondateurs de la Communauté avec la France, la RFA et l'Italie, lui ont apporté leur expérience d'une union économique et de libre-échange qu'ils ont réalisée au sein du Benelux.

La Belgique

— Superficie   : 30 519 km²
— Population (1990) : 9,9 millions d'habitants (dont 37,1 % d'actifs)
— PIB (1989)   : 139 milliards d'ECU (17 444 ECU/hab.)
— Monnaie   : franc belge. 1 ECU = 42,5 FB env.
— Régime politique et organisation administrative : la Belgique est une monarchie héréditaire et une démocratie parlementaire et fédérale ; le pouvoir exécutif central est exercé par un gouvernement ayant à sa tête un Premier ministre. Le pouvoir législatif est exercé par un parlement bicaméral (Chambre des représentants et Sénat). Trois régions (les Flandres, la Wallonie et Bruxelles) et trois communautés linguistiques sont dotées d'un exécutif et d'une assemblée propres.

Les Pays-Bas

— Superficie   : 41 160 km²
— Population (1990) : 14,8 millions d'habitants (dont 40,5 % d'actifs)
— PIB (1989)   : 203 milliards d'ECU (17 605 ECU/hab.)
— Monnaie   : florin. 1 ECU = 2,31 florins env.
— Régime politique et organisation administrative : les Pays-Bas sont une monarchie héréditaire et une démocratie parlementaire. Le pouvoir exécutif est exercé par un gouvernement dirigé par un Premier ministre, responsable devant le Parlement. Celui-ci comprend deux chambres : la Chambre basse et la Chambre haute. Les Pays-Bas comprennent aussi douze provinces.

Le Luxembourg

— Superficie   : 2 586 km²
— Population (1990) : 378 000 habitants (dont 26 % d'étrangers)
— Population active : 47 % de la population
— PIB (1989)   : 6,4 milliards d'ECU (22 311 ECU/hab.)
— Monnaie   : franc luxembourgeois. 1 ECU = 42,5 F lux. env.
— Régime politique et organisation administrative : le Luxembourg est un Grand-Duché héréditaire et une démocratie parlementaire. Le pouvoir exécutif y est exercé par un gouvernement ayant à sa tête un Premier ministre, responsable devant le Parlement.

L'EUROPE PAR ÉTAPES

PASSER LES FRONTIÈRES

LES INSTITUTIONS

LES GRANDS ENJEUX

LA FORMATION

L'EUROPE ÉCONOMIQUE

TRAVAILLER EN EUROPE

L'EUROPE ET LE MONDE

Royaume-Uni, Irlande, Danemark

Ces trois pays ont rejoint la Communauté en 1972. Pour des raisons diverses, ils montrent souvent une certaine frilosité à l'égard d'une intégration européenne trop poussée.

Royaume-Uni

— Superficie : 244 111 km²
— Population (1990) : 57,4 millions d'habitants (dont 47,5 % d'actifs)
— PIB (1989) : 760 milliards d'ECU (18 402 ECU/hab.)
— Monnaie : livre sterling (£). 1 ECU = 0,69 £ env.
— Régime politique et organisation administrative : le Royaume-Uni est une monarchie héréditaire et une démocratie parlementaire. Le gouvernement est dirigé par un Premier ministre. Le Parlement est composé de deux chambres : les Communes, la chambres des Lords. Le gouvernement est responsable devant les Communes. L'Écosse, le Pays de Galles et l'Ulster ont une administration autonome décentralisée.

Irlande

— Superficie : 68 900 km²
— Population (1990) : 3,5 millions d'habitants (dont 30,1 % d'actifs)
— PIB (1989) : 30,8 milliards d'ECU (11 534 ECU/hab.)
— Monnaie : livre irlandaise (IRL). 1 ECU = 0,77 IRL env.
— Régime politique et organisation administrative : l'Irlande est une république parlementaire. Le gouvernement est dirigé par un Premier ministre (*taoiseach*). Il est responsable devant le Parlement, qui comprend : le président de la République, la Chambre des représentants (*Dail Eireann*), et le Sénat (*Seannad Eireann*). L'Irlande compte 115 collectivités locales.

Danemark

— Superficie : 43 080 km² (dont 483 îles)
— Population (1990) : 5,13 millions d'habitants (dont 52,6 % d'actifs)
— PIB (1989) : 95 milliards d'ECU (18 478 ECU/hab.)
— Monnaie : couronne danoise (DKR). 1 ECU = 7,8 DKR env.
— Régime politique et organisation administrative : le Danemark est une monarchie héréditaire et une démocratie parlementaire. Le gouvernement, dirigé par un Premier ministre, est responsable devant le Parlement, monocaméral, le *Folketing*. Le Danemark compte 13 comtés auxquels s'ajoute la région de Copenhague, ayant un statut spécifique. En outre, les îles Feroe et le Groenland ont une administration autonome et ne sont pas membres de la Communauté.

Grèce,
Espagne, Portugal

La Grèce a adhéré à la Communauté en 1981, l'Espagne et le Portugal, en 1986. Ce faisant, la Communauté a opéré un rééquilibrage vers le sud de l'Europe...

Grèce

— Superficie   :   131 990 km² (dont 437 îles)
— Population (1990) :   10 millions d'habitants (dont 36,5 % d'actifs)
— PIB (1989)   :   41 milliards d'ECU (9 353 ECU/hab.)
— Monnaie   :   drachme (DRA). 1 ECU = 205 DRA env.
— Régime politique et organisation administrative : la Grèce est une république parlementaire. Le pouvoir exécutif est exercé par un gouvernement, dirigé par un Premier ministre nommé par le président de la République. Le gouvernement est responsable devant le Parlement, monocaméral. La Grèce compte 51 *nomi* (à peu près l'équivalent des départements français) et 11 régions.

Espagne

— Superficie   :   504 800 km²
— Population (1990) :   39 millions d'habitants (dont 30,2 % d'actifs)
— PIB (1989)   :   345 milliards d'ECU (13 324 ECU/hab.)
— Monnaie   :   peseta (PTA). 1 ECU = 134 PTA env.
— Régime politique et organisation administrative : l'Espagne est une monarchie constitutionnelle héréditaire et une démocratie parlementaire. Le roi est chef de l'État et des armées. Il nomme le Premier ministre. Celui-ci dirige le gouvernement, responsable devant le Parlement, bicaméral (les *Cortès*) composé du Congrès et du Sénat. L'Espagne comprend 13 communautés autonomes, ayant chacune une assemblée et un exécutif propres.

Portugal

— Superficie   :   92 100 km²
— Population (1990) :   10,3 millions d'habitants (dont 42,1 % d'actifs)
— PIB (1989)   :   41 milliards d'ECU (9 452 ECU/hab.)
— Monnaie   :   escudo (ESC). 1 ECU = 179 ESC env.
— Régime politique et organisation administrative : le Portugal est une république parlementaire ayant à sa tête un exécutif composé du président de la République, élu au suffrage universel, et du gouvernement, dirigé par le Premier ministre. Le gouvernement est responsable devant le Parlement, monocaméral, que le président peut dissoudre. Le Portugal est divisé en 18 districts, dirigés par un gouverneur. Madère et les Açores sont des régions autonomes.

Le contrôle des personnes (1)

Depuis le 1er janvier 1993, les douaniers ont disparu des postes frontières. Ils seront plus nombreux aux frontières extérieures de la Communauté. En revanche, les policiers demeurent présents aux frontières intérieures pour lutter contre le trafic de drogue, le terrorisme, la criminalité et l'immigration illégale.

▬▬▬ Règles générales

□ Pour voyager à l'intérieur de l'Europe des Douze, il suffit d'être en possession d'une carte d'identité valable ou d'un passeport national valable.

□ Les enfants mineurs (moins de 18 ans) ne peuvent passer une frontière seuls sans autorisation écrite de leurs parents.

□ Le passage à la frontière des objets personnels s'effectue en principe sans formalités s'ils ne sont pas destinés à un usage professionnel. Les bagages ne sont plus fouillés mais la douane volante peut intervenir, à l'écart des frontières, dans le cadre de la lutte contre la drogue, le transport de substances dangereuses, le trafic d'armes et le trafic d'œuvres d'art.

□ Il faut noter que la police des frontières a toujours le droit de vérifier l'identité des voyageurs tant que l'espace Schengen ne sera pas mis en place définitivement.

▬▬▬ Le passeport européen

□ Depuis 1985, il existe un passeport européen. Actuellement, la plupart des États-membres le délivrent à leurs ressortissants. Le passeport européen a la même valeur que les anciens passeports nationaux et peut être utilisé dans les mêmes conditions pour voyager dans le monde entier. Il a une couleur bordeaux-mauve et porte la mention « Communauté européenne » suivie du nom de l'État-membre. Sa validité est de dix ans.

▬▬▬ L'objectif 1993

La Communauté s'est fixé pour objectif d'éliminer tous les contrôles de police et de douane aux frontières intérieures de la CEE d'ici 1993.

Pour réaliser cet objectif, la CEE a adopté une stratégie en deux phases :

1. D'abord simplifier et alléger les contrôles aux frontières (de 1986 à 1993).

2. La suppression totale, à partir de 1993, de tous les contrôles : celle-ci n'a pu être réalisée qu'en partie puisque c'est seulement le 1er juillet 1993, s'il n'y a pas de nouveau retard, que les contrôles de police fixes disparaîtront totalement aux frontières intracommunautaires.

■ Le disque vert

Aujourd'hui

Pour circuler à l'intérieur de l'espace Schengen (les Douze sauf le Danemark, l'Irlande et le Royaume-Uni), les ressortissants communautaires peuvent coller sur le pare-brise de leur véhicule un disque vert.

Il s'agit d'une vignette de 8 cm de diamètre représentant la lettre E sur fond vert. Le disque vert permet de passer la frontière à vitesse réduite, sans s'arrêter, sous la simple surveillance des agents chargés du contrôle. Il signifie que tous les passagers sont citoyens d'un pays de la CEE et qu'ils sont en règle.

Les bagages ne peuvent plus être contrôlés mais les policiers peuvent toujours vérifier l'identité des voyageurs. Toutefois, il n'y a plus en pratique de contrôles aux frontières terrestres à l'intérieur de la Communauté, sauf cas isolé.

Courant 1993

Les contrôles de police aux frontières routières de la Communauté seront totalement supprimés.

■ Ports et aéroports

Aujourd'hui

La plupart des ports et des aéroports des pays de la CEE réservent des couloirs spéciaux aux citoyens des douze États-membres pour les contrôles de police. Ces couloirs, indiqués par des panneaux «Communauté européenne» ou «CEE», permettent de simplifier et d'accélérer le passage à la frontière — ce qui n'exclut pas des contrôles de sécurité et des vérifications d'identité.

D'ici à 1994

Les aéroports de la CEE disposeront de deux terminaux : l'un sera réservé aux vols intracommunautaires sans contrôle des personnes à l'embarquement et à la descente de l'avion ; l'autre sera réservé aux vols en provenance des pays tiers, et les voyageurs seront contrôlés à la douane comme par le passé.

■ Plus de panneaux «douane»

Depuis 1986, les panneaux «douane» aux frontières internes de la Communauté sont progressivement remplacés par des modèles européens de forme carrée, représentant le drapeau européen (douze étoiles d'or sur fond bleu) et indiquant au centre, en lettres blanches, le nom du pays dans lequel on entre.

■ Et les non-communautaires ?

La libre circulation des personnes s'applique également aux ressortissants de pays tiers se trouvant sur le territoire européen. Ainsi, un citoyen américain résidant régulièrement en France ne peut pas faire l'objet de contrôle ou de formalités lorsqu'il se rend en voiture de Paris à Bruxelles.

■ L'espace Schengen (Luxembourg)

Les accords de Schengen (1985) associent la France, l'Allemagne, la Belgique, les Pays-Bas, le Luxembourg, l'Italie, l'Espagne, le Portugal et la Grèce. Ces accords prévoyaient la suppression des contrôles aux frontières entre ces neuf pays au 1er janvier 1993 mais n'ont pu être appliqués à cette date, faute d'accord sur une Convention complémentaire signée en 1990 portant sur l'immigration.

Pour éviter que la suppression des frontières au sein de «l'entité Schengen» ne se traduise par une augmentation de l'insécurité, des mesures doivent encore être prises pour renforcer les contrôles aux frontières extérieures (contrôle de l'immigration, droit d'asile, système informatisé pour les personnes recherchées). Les pays du groupe Schengen devraient assurer une totale liberté de circulation dès la mi-1993 aux frontières terrestres et maritimes et au 1er janvier 1994 dans les aéroports.

L'EUROPE PAR ÉTAPES

PASSER LES FRONTIÈRES

LES INSTITUTIONS

LES GRANDS ENJEUX

LA FORMATION

L'EUROPE ÉCONOMIQUE

TRAVAILLER EN EUROPE

L'EUROPE ET LE MONDE

Le contrôle des personnes (2)

La disparition des contrôles des personnes aux frontières intérieures de la Communauté exige une surveillance plus rigoureuse des frontières externes de la CEE.

La lutte contre le terrorisme et la criminalité

□ Actuellement, un policier d'un État-membre n'a pas le droit de pourchasser un criminel pris sur le fait au-delà de dix kilomètres de sa frontière nationale. Le traité de Maastricht prévoit la création, pour le 31.12.1993 au plus tard, d'un Office central européen de police criminelle, dénommé EUROPOL. Cette police européenne sera chargée de lutter contre le trafic international de drogue, le terrorisme et le crime organisé. En attendant, les Douze s'efforcent de renforcer la surveillance des frontières externes de la CEE et d'améliorer la coopération des polices nationales et des services de douane.

□ Dans cette optique, les douze ministres de l'Intérieur se sont mis d'accord sur une liste de 110 pays tiers dont les ressortissants doivent obtenir un visa pour entrer dans la CEE. Cette liste pourra être modifiée à la majorité qualifiée à partir de 1996.

□ La Convention de Schengen (1990) qui associe la France, l'Allemagne, la Belgique, les Pays-Bas, le Luxembourg, l'Italie, l'Espagne, le Portugal et la Grèce prévoit la mise en place, d'ici à 1993, d'un fichier informatisé commun à ces pays, le Système d'information Schengen (S.I.S.). Seront répertoriés dans le S.I.S. les personnes extradables, les étrangers indésirables, les personnes disparues, les personnes citées à comparaître, les véhicules volés, les faux documents et les armes à feu.

Ce fichier, implanté à Strasbourg, permettra à un policier français par exemple, de savoir immédiatement si la personne qu'il contrôle est recherchée dans l'un des sept autres pays de l'entité Schengen. La Convention prévoit également d'autoriser la police de chaque État-signataire à poursuivre les criminels dans les pays voisins.

Politiques d'immigration : vers un visa européen

Les Douze vont être amenés à coordonner leurs lois concernant les conditions d'entrée, de séjour et d'accès à l'emploi des ressortissants de pays tiers. Actuellement, la priorité de la Communauté reste la lutte contre l'immigration clandestine : les ministres de la Justice des Douze ont créé, en octobre 1986, un Comité pour la coopération en matière d'immigration illégale. Un projet de convention, actuellement en discussion au sein de ce comité, pose les principes d'une politique d'harmonisation pouvant conduire à un visa européen qui permettra aux ressortissants de pays tiers entrés légalement dans un des États-membres de se déplacer librement dans toute la Communauté.

■ Une législation européenne sur les armes

La législation européenne renforce le contrôle de l'acquisition et de la détention d'armes à feu. Ainsi, les différents types d'armes à feu aujourd'hui en vente libre dans certains États-membres devront être soumis à un régime de déclaration obligatoire aux autorités.

Quatre catégories d'armes à feu sont visées :

1. Les **armes interdites** (armes de guerre et armes à feu très dangereuses) dont l'acquisition par des personnes privées est prohibée.

2. Les **armes soumises à autorisation** : il s'agit essentiellement des armes de défense, dont l'acquisition et la détention dépendent d'une autorisation préalable des autorités publiques.

3. Les **armes soumises à déclaration** : il s'agit principalement des armes de chasse dont l'acquisition et la détention sont en principe libres mais qui doivent cependant être déclarées aux autorités.

4. Les **autres types** d'armes à feu qui peuvent être librement achetées et détenues.

Les armuriers de la Communauté seront obligés de tenir un registre détaillé de toutes les entrées et sorties d'armes à feu des trois premières catégories.

■ Demandeurs d'asile et réfugiés

Les pays de la CEE doivent adopter une attitude commune envers les demandeurs d'asile (512 000 en 1991) et les réfugiés. Il s'agit d'éviter en particulier qu'un candidat réfugié soit ballotté d'un État-membre à l'autre, suite à une demande d'asile et, *a contrario*, d'empêcher qu'une candidature puisse être introduite dans un État-membre après avoir été refusée dans un autre.

La Convention de Dublin signée en 1990 répond à cette question :

• si le candidat au droit d'asile est débouté, il ne peut plus introduire de demande dans un autre État-membre. L'État responsable de la demande le reconduit à la frontière ;

• si le demandeur obtient son statut, il peut circuler librement dans les autres États-membres.

■ L'extradition

La coordination des règles nationales d'extradition s'impose afin d'empêcher qu'une personne puisse commettre une infraction dans un État-membre et se réfugier ensuite dans un autre où elle ne pourrait être ni jugée ni extradée. Dans cette perspective, la coopération judiciaire entre les États-membres sera renforcée par la mise en place d'un régime commun pour améliorer les procédures de demande d'extradition.

■ Le groupe Trevi

Le groupe Trevi a été constitué à Rome en 1976. Il rassemble les ministres de l'Intérieur et de la Justice des douze pays-membres et a pour objectif de mieux coordonner et de renforcer la lutte contre le terrorisme et la criminalité. Le groupe Trevi se réunit deux fois par an. Ses travaux sont essentiellement consacrés aux questions de l'immigration et des contrôles aux frontières.

■ Les progrès sont lents

La suppression des contrôles de police aux frontières est l'un des dossiers les plus difficiles dans la perspective de 1993. En effet, certains États-membres (en particulier la Grande-Bretagne et l'Irlande) redoutent l'impact qu'une telle mesure pourrait avoir sur le terrorisme, la grande criminalité et le trafic de drogue en Europe. Considérant le contrôle des personnes comme une prérogative essentielle, les États éprouvent de grandes réticences à s'en défaire. Ils ont d'ailleurs choisi de se prononcer à l'unanimité sur cette question.

L'EUROPE PAR ÉTAPES
PASSER LES FRONTIÈRES
LES INSTITUTIONS
LES GRANDS ENJEUX
LA FORMATION
L'EUROPE ÉCONOMIQUE
TRAVAILLER EN EUROPE
L'EUROPE ET LE MONDE

Les achats des particuliers

Depuis le 1er janvier 1993, les particuliers ne sont plus soumis à aucune taxation ni à aucune formalité aux frontières lorsqu'ils passent d'un État-membre à un autre à l'occasion d'un voyage au cours duquel ils transportent des biens ou des cadeaux.

Achats en voyage dans un autre État-membre

☐ Les voyageurs intracommunautaires peuvent acheter dans chacun des États-membres toute marchandise, sans limite de volume ou de valeur, à condition que les marchandises aient été achetées TVA comprise et soient destinées à leur usage personnel. L'alcool et le tabac restent soumis à des plafonds d'importation qui ont été sensiblement relevés.

☐ Si les achats ont été effectués dans un pays tiers, la franchise fiscale est de 45 ECU (environ 300 FF) pour les adultes et de 23 ECU (environ 150 FF) pour les moins de 15 ans.

Achats hors taxes dans les ports et les aéroports

Les achats en franchise restent possibles jusqu'en 1999 dans les magasins hors taxes des ports et des aéroports pour les voyageurs intracommunautaires. Les quantités achetées dans les duty-free shop (alcool, tabac, parfum, café et thé) sont limitées. Les vendeurs des magasins hors taxes assurent eux-mêmes les contrôles au moment de la vente.

Achat d'un moyen de transport dans la Communauté

☐ S'il s'agit d'un moyen de transport neuf (voiture, moto, bateau, avion), les formalités de TVA ne sont plus faites à la frontière. Le bien sera enregistré dans le pays de résidence de l'acheteur et la TVA restera celle du pays d'immatriculation jusqu'en 1996.

☐ S'il s'agit d'un bien d'occasion (par exemple une voiture ayant circulé plus de trois mois dans le pays d'achat et effectué plus de 3 000 km), la TVA pourra être payée dans le pays d'achat du véhicule.

Expédition de petits envois (lettres, cadeaux, objets)

☐ Pas de tarif spécial pour le courrier : lorsqu'une personne envoie une lettre ou une carte postale à un habitant d'un autre pays de la CEE, il paie le même tarif postal que si son courrier était adressé à un habitant de son pays.

☐ Tout particulier peut expédier des colis dans n'importe quel pays de la CEE. Si les objets ont été payés TVA comprise et sont dépourvus de caractère commercial, ni lui ni le destinataire n'auront de formalités à remplir. L'étiquette mentionnant la nature du contenu et la valeur du colis n'est plus nécessaire.

■ **Franchises fiscales applicables aux achats d'alcool, de tabac, de café et de thé (en limites quantitatives par personne et par voyage)**

Produits	Achetés dans un autre État-membre (*)	Achetés en franchise dans les ports et aéroports et/ou importés des pays tiers (**)
Cigarettes	800 pièces	200 pièces
Cigarillos	400 pièces	100 pièces
Cigares	200 pièces	50 pièces
Tabac à fumer	1 kg	250 grammes
Boissons alcoolisées		
— Boissons alcoolisées > 22 % vol.	10 litres	1 litre
— Boissons alcoolisées < 22 % vol.	20 litres	2 litres
— Vins (dont 60 litres au maximum de vin mousseux)	90 litres	2 litres
— Bières	110 litres	
Parfums et eaux de toilette		50 grammes 1/4 litre
Café		500 grammes
Thé		100 grammes

(*) Il ne s'agit pas de franchises fiscales, puisque celles-ci ont été supprimées, mais de limites indicatives au-delà desquelles les douanes peuvent présumer que les marchandises importées sont destinées à un usage commercial.

(**) Les voyageurs âgés de moins de 17 ans ne bénéficient pas des franchises « tabacs » et des franchises « vins et alcools ». Les voyageurs de moins de 18 ans ne bénéficient pas de la franchise « café ».

■ **Vers des taxes harmonisées**

Les différences de fiscalité indirecte — taux de TVA, accises sur les tabacs, les alcools, etc. — rendent encore nécessaire l'imposition de franchises fiscales et de plafonds d'importation pour certains produits. A terme, ces taxes seront harmonisées en vue d'aboutir à une suppression totale des contrôles, ce qui rendra les achats frontaliers moins attractifs.

S'installer sans formalités

On peut passer la frontière sans formalités avec ses meubles et ses biens personnels à l'occasion d'un déménagement ou de l'aménagement d'une résidence secondaire dans un autre État-membre. Des franchises concernent également les véhicules de tourisme importés dans un autre État-membre pour une durée limitée ainsi que le matériel destiné à l'exercice d'une activité professionnelle.

En cas de déménagement

☐ Lorsqu'un particulier **déménage dans un autre État-membre**, il peut passer ou faire passer ses biens personnels de l'autre côté de la frontière sans contrôle et sans payer de taxes (TVA ou autres). Aucune mention de la valeur des biens ne peut être exigée dès lors que les biens ont été achetés TTC dans le pays de départ.

☐ Les voitures, caravanes, remorques, bateaux de plaisance faisant partie du déménagement passent également sans contrôles, mais il faut savoir que leur propriétaire devra acquitter dans le pays d'arrivée les taxes applicables du fait de l'utilisation permanente de ces véhicules dans le pays d'accueil (par exemple la taxe de circulation ou la taxe d'immatriculation). Ces taxes peuvent être élevées.

☐ En cas d'**aménagement d'une résidence secondaire dans un autre État-membre**, il est possible d'importer ou de faire transporter ses meubles et objets personnels sans formalités.

En cas de mariage ou d'héritage

☐ Toute personne qui **déménage dans un autre État-membre à l'occasion d'un mariage** peut emporter sans payer de taxes et sans formalités ses biens personnels et ses cadeaux de mariage, quels que soient le volume et la valeur des cadeaux.

☐ Toute personne qui **hérite de biens se trouvant dans un autre État-membre** peut librement importer ces biens dans l'État où elle réside. Il n'est plus nécessaire de présenter à l'État-membre d'importation l'attestation d'un notaire certifiant que les biens ont été acquis par voie successorale.

LA LÉGISLATION

■ Le matériel professionnel

Le régime communautaire permet de transporter du matériel professionnel pour une durée limitée dans un autre pays de la CEE sans payer de taxes, à condition que le matériel soit ramené dans le pays de départ.

Pour circuler sous ce régime, les marchandises doivent faire l'objet d'un « **carnet communautaire de circulation** » délivré par le pays de départ (là où l'intéressé a son adresse professionnelle). Le carnet, rempli et signé par l'intéressé, doit être présenté au bureau de départ en même temps que les marchandises qui en font l'objet. Il est destiné à prouver le caractère communautaire des marchandises et vaut document de transit communautaire interne. Sa validité ne peut excéder douze mois.

• Quel matériel professionnel peut-on importer en franchises de taxes ?

— Marchandises destinées à être présentées ou utilisées à une exposition, une foire, un congrès, ou manifestation similaire (marchandises de démonstration, de décoration, publicitaire) ;
— matériel médico-chirurgical et scientifique ;
— matériel de presse, de radio et TV ;
— matériel cinématographique : caméras portatives ;
— micro-ordinateurs ;
— matériel pour le montage, l'installation, l'essai, la mise en marche, le contrôle, la vérification, l'entretien et la réparation des machines ;
— matériel nécessaire aux hommes d'affaires, experts, médecins, gens de spectacle, orchestre (instruments de musique), conférenciers ;
— échantillons commerciaux (la liste complète des échantillons est publiée au JOCE 151 du 7 juin 1984).

• **Lorsqu'ils sont considérés comme matériel professionnel**, les véhicules et produits de luxe tels que pierres précieuses, manteaux de fourrure, bijoux de valeur, sont soumis à des procédures plus exigeantes.

• **Sont exclus** les matériels destinés à la fabrication industrielle et à la construction.

Remarque : Il convient de s'informer des conditions d'application des franchises fiscales lorsque l'on emporte des armes, des animaux, des produits pharmaceutiques. Certains États-membres peuvent imposer des formulaires spéciaux pour ces marchandises ou imposer des restrictions autres que fiscales.

■ Les importations temporaires de moyens de transport

• Toute personne résidente d'un État-membre peut importer temporairement dans un autre État-membre un véhicule de tourisme (y compris sa remorque), une caravane ou un bateau de plaisance en franchise de taxes.

Conditions :
— La personne doit avoir sa résidence dans un État-membre autre que celui de l'importation ;
— l'importation est possible pour une durée de six mois maximum par période de douze mois ;
— le véhicule doit être utilisé à des fins privées et ne peut en aucun cas être cédé, loué ou prêté dans l'État-membre d'importation.

• Les personnes résidant dans un État-membre, qui utilisent leur véhicule pour se rendre régulièrement à leur lieu de travail situé dans un autre État-membre, bénéficient d'une franchise fiscale sans limitation de durée.

• Les étudiants qui poursuivent leurs études dans un autre pays-membre bénéficient d'une exonération pour leur véhicule de tourisme pendant la durée de leurs études dans le pays d'accueil.

L'EUROPE PAR ÉTAPES
PASSER LES FRONTIÈRES
LES INSTITUTIONS
LES GRANDS ENJEUX
LA FORMATION
L'EUROPE ÉCONOMIQUE
TRAVAILLER EN EUROPE
L'EUROPE ET LE MONDE

Les traités fondateurs

L'entité que l'on a coutume d'appeler aujourd'hui la Communauté se compose en fait de trois communautés distinctes, issues de trois traités différents : la Communauté européenne du charbon et de l'acier (CECA), la Communauté européenne de l'énergie atomique (CEEA ou « Euratom »), et la Communauté économique européenne (CEE), la plus connue des trois.

La CECA

Le plan Schuman de 1950 prévoyait la mise en commun de la production franco-allemande de charbon et d'acier sous la responsabilité d'une autorité supranationale. La CECA est la mise en œuvre de cette idée, avec 6 pays : la France, l'Allemagne, l'Italie, la Belgique, le Luxembourg et les Pays-Bas, qui lui donnèrent vie avec le traité de Paris, signé le 18 avril 1951.

Euratom et la CEE

1954 voit l'échec du projet d'une nouvelle communauté, la Communauté européenne de défense (CED). Pour effacer cet échec et relancer la construction européenne, la conférence de Messine de 1955 met en chantier deux nouveaux projets :
— la Communauté européenne de l'énergie atomique (CEEA) ou Euratom, prolongement de la logique d'intégration européenne sectorielle et spécialisée de la CECA, en l'occurrence par la coordination de l'approvisionnement des moyens de production de l'énergie nucléaire civile ;
— la Communauté économique européenne (CEE), qui tout en restant une communauté spécialisée (elle n'est compétente qu'en matière économique) ouvre la voie à une intégration européenne générale.
Euratom et la CEE sont nées avec les traités de Rome signés le 25 mars 1957 par les six pays sus-mentionnés.

Des institutions communes

Les trois communautés, juridiquement distinctes, disposent néanmoins d'institutions communes, depuis le traité de fusion de 1965, qui donne à la CEE, à la CECA et à Euratom une seule Commission, un seul Parlement et un seul Conseil des ministres. Certaines institutions restent toutefois spécifiques à telle ou telle Communauté, comme le Comité consultatif du charbon et de l'acier pour la CECA, ou l'Agence d'approvisionnement en matières nucléaires pour Euratom.

LE PLAN SCHUMAN

Robert Schuman, ministre français des Affaires étrangères de l'époque, est à l'origine de la Communauté européenne du charbon et de l'acier (CECA), qu'il proposa en des termes restés célèbres à la RFA, l'Italie et le Benelux, le 9 mai 1950 :

« L'Europe ne se fera pas d'un coup ni dans une construction d'ensemble : elle se fera par des réalisations concrètes créant d'abord une solidarité de fait. Le rassemblement des nations européennes exige que l'opposition séculaire de la France et de l'Allemagne soit éliminée.

L'action entreprise doit toucher au premier chef la France et l'Allemagne. [...]

Dans ce but, le gouvernement français propose de placer l'ensemble de la production franco-allemande de charbon et d'acier, sous une Haute Autorité commune, dans une organisation ouverte à la participation des autres pays d'Europe. [...]

Par la mise en commun de productions de base et l'installation d'une Haute Autorité nouvelle, dont les décisions lieront la France, l'Allemagne et les autres pays qui y adhéreront, cette proposition réalise les premières assises concrètes d'une fédération européenne indispensable à la préservation de la paix. »

Signature des deux traités de Rome instituant la Communauté économique européenne et la Communauté européenne de l'énergie atomique (Euratom), le 25 mars 1957 à Rome. Au premier rang, de gauche à droite : P. H. Spaak et J. Ch. Snoy d'Oppuers (Belgique), C. Pineau et M.Faure (France), K. Adenauer et W. Hallstein (Allemagne), A. Segni et C. Martino (Italie), J. Bech et L. Schaus (Luxembourg), J. Luns et J. Linthorst Homan (Pays-Bas).

La Commission propose et exécute

La Commission constitue véritablement l'administration centrale de la Communauté. Ses 12 000 fonctionnaires, les « Eurocrates », proposent, mettent en œuvre et font respecter les politiques et les réglementations communautaires.

▓▓▓▓ La Commission, un organe collégial

☐ La Commission est composée de 17 commissaires, dont 1 président et 5 vice-présidents. La France, la RFA, le Royaume-Uni, l'Italie et l'Espagne ont chacun 2 commissaires, les autres États, 1.

☐ Tous sont nommés pour quatre ans d'un commun accord par les États-membres. Chaque commissaire est responsable d'un secteur, mais la Commission décide collégialement sur chaque dossier.

☐ Les commissaires doivent être indépendants des États-membres : ils représentent les intérêts de la Communauté et, à ce titre, sont responsables, collectivement, devant le Parlement européen, qui peut les contraindre à démissionner. Une vingtaine de directions générales et d'autres unités administratives spécialisées assistent les commissaires.

▓▓▓▓ La Commission propose la législation communautaire

La première tâche de la Commission est d'élaborer les propositions de nouvelle réglementation ou de nouvelle politique, et de les soumettre à l'avis du Parlement européen et au vote du Conseil des ministres. C'est la Commission qui, ainsi, a proposé les 300 mesures du « livre blanc » pour l'achèvement du marché intérieur, et qui propose chaque année le budget de la Communauté et les prix agricoles.

▓▓▓▓ La Commission exécute

Une fois adoptées par le Conseil des ministres, la législation et les politiques communautaires sont mises en œuvre par la Commission, souvent aidée en cela par des comités consultatifs ou de gestion spécialisés, composés d'experts nationaux. Dans le cadre de cette mission, elle peut adopter des textes d'application. C'est elle également qui exécute le budget, et en gère les crédits. C'est enfin la Commission qui représente la Communauté sur la scène internationale, et négocie pour son compte les traités avec les pays tiers.

▓▓▓▓ La Commission veille au respect du droit communautaire

La Commission est gardienne des traités. A ce titre, elle doit veiller à ce que le droit communautaire soit correctement appliqué et respecté. Elle peut ouvrir des procédures d'infraction à l'encontre des États-membres dont elle pense qu'ils ne respectent pas le droit communautaire, et les assigner devant la Cour de justice des Communautés (recours en manquement).

LA COMMISSION ACTUELLE

Une nouvelle Commission est entrée en fonction en janvier 1993, pour deux ans. Voici sa composition, et les responsabilités de chacun des commissaires.

Président : Jacques Delors (F) : secrétariat général de la Commission, service juridique, affaires monétaires, service du porte-parole, service de l'interprétation et des conférences, bureau de sécurité, cellule de prospective.

Martin Bangemann (RFA) : affaires industrielles, technologies de l'information et des télécommunications.

Sir Leon Brittan (GB) : affaires économiques extérieures (Amérique du Nord, Japon, Chine, CEI, Europe hors CEE), politique commerciale.

Hans van den Broek (Nl) : relations politiques extérieures, politique extérieure et de sécurité commune, négociations d'élargissement.

Henning Christophersen (Dk) : affaires économiques et financières, affaires monétaires (en coordination avec le président), crédit et investissements, office statistique.

Padraig Flynn (Irl) : affaires sociales et emploi, relations avec le Comité économique et social, questions liées à l'immigration, affaires intérieures et judiciaires.

Manuel Marin (Esp) : coopération et développement (Méditerranée Sud, Moyen-Orient, Amérique latine, Asie, convention de Lomé), Office européen d'aide humanitaire d'urgence.

Abel Matutes (Esp) : énergie et agence d'approvisionnement Euratom, transports.

Bruce Millan (GB) : politiques régionales, relations avec le Comité des régions.

Joao Pinheiro (P) : relations avec le Parlement européen, relations avec les États-membres en matière de transparence, de communication et d'information.

Karel van Miert (B) : concurrence, politique du personnel et de l'administration, traduction et informatique.

Antonio Ruberti (I) : science, recherche et développement, centre commun de recherche, ressources humaines, éducation, formation et jeunesse.

Peter Schmidthüber (RFA) : budget, contrôle financier, anti-fraude, fonds de cohésion.

Christiane Scrivener (F) : douane, fiscalité, politique des consommateurs.

René Steichen (Lux) : agriculture et développement rural.

Ioannis Paleokrassas (Gr) : environnement, sécurité nucléaire et protection civile, pêche.

Raniero Vanni d'Archirafi (I) : questions institutionnelles, marché intérieur, services financiers, politique d'entreprise (PME, commerce et artisanat).

Le Berlaymont, immeuble de la Commission, à Bruxelles.

Le Conseil des ministres décide

> Le Conseil des ministres est l'organe décisionnaire de la Communauté. C'est aussi l'organe de représentation par excellence des États-membres et des intérêts nationaux. Aussi, les décisions ne se prennent généralement qu'après de longues négociations, et de savants compromis...

Une composition à géométrie variable

☐ Le Conseil des ministres a une composition variable selon les dossiers qu'il traite. S'il s'agit d'agriculture, ce sont les ministres de l'agriculture qui se réunissent, s'il s'agit de transports, ce sont les ministres des transports, etc.

☐ Le Comité des représentants permanents (COREPER), composé des représentants permanents des États-membres auprès des Communautés, prépare les dossiers sur lesquels le Conseil devra se prononcer, et se livre à des « prénégociations » pour les faire avancer.

Unanimité ou majorité ?

Jusqu'à l'Acte unique, la construction européenne avançait lentement, dans la mesure où la plupart des décisions devaient être prises à l'unanimité au sein du Conseil des ministres : soit les traités imposaient cette unanimité, soit tel ou tel État faisait valoir un prétendu intérêt national vital pour opposer son veto aux projets qui lui déplaisaient, en vertu du « Compromis de Luxembourg », signé en 1966 par les États-membres, suite à la première crise grave de la Communauté, provoquée par la France qui refusait d'assister aux réunions du Conseil, empêchant ainsi toute décision d'être prise (stratégie dite de la « chaise vide »). L'Acte unique a changé cette situation, en accroissant le nombre des décisions à la majorité qualifiée, notamment sur les sujets concernant le marché intérieur. Le Conseil fonctionne donc plus vite et mieux. Le traité de Maastricht confirme et accentue cette évolution.

La présidence de la Communauté

Chaque État-membre assure, à tour de rôle et pour six mois, la présidence de la Communauté, et donc du Conseil des ministres. La présidence a un rôle d'impulsion et de coordination, dans la mesure où elle définit les dossiers prioritaires à traiter, et propose des compromis sur ceux qui posent problème. L'État qui assure la présidence a ainsi la possibilité d'orienter, pendant six mois, la construction européenne dans le sens qu'il souhaite.

LE FONCTIONNEMENT

■ Les présidences jusqu'au 31 décembre 1996

1er semestre 1993 : Danemark
2e semestre 1993 : Belgique
1er semestre 1994 : Grèce
2e semestre 1994 : Allemagne
1er semestre 1995 : France
2e semestre 1995 : Espagne
1er semestre 1996 : Italie
2e semestre 1996 : Irlande

■ Le Conseil européen

Tous les six mois, à la fin de chaque présidence, les chefs d'État et de gouvernement des Douze se réunissent pour une réunion au sommet, qui fait le bilan du semestre écoulé, et trace les grandes orientations pour le futur. A l'origine une simple coutume, la pratique du Conseil européen a été institutionnalisée par l'article 2 de l'Acte unique. Le traité de Maastricht en fait l'organe majeur de l'Union européenne, qui donne à celle-ci «les impulsions nécessaires et en définit les orientations politiques générales».

Parmi les grands sommets européens :

Fontainebleau (juin 1984) :
— Règlement des grands contentieux budgétaires bloquant la construction européenne : celui de la contribution britannique et celui de l'augmentation des ressources de la Communauté.
— Début d'une réflexion sur la nécessité d'une réforme institutionnelle de la Communauté et sur l'Europe des citoyens, par la création de deux comités d'experts, les comités «Dooge» et «Adonnino» (du nom de leurs présidents)

chargés de préparer les changements à venir.

Milan (juin 1985) :
— Approbation des travaux des comités «Dooge» et «Adonnino», et convocation pour la fin de 1985 d'une conférence inter-gouvernementale pour négocier le futur Acte unique.

Hanovre (juin 1988) :
— Relance des travaux sur l'Union économique et monétaire (UEM) de l'Europe, avec création d'un comité d'experts, sous la présidence de Jacques Delors, chargé de préparer les négociations.

Dublin (avril 1990) :
— Approbation de la réunification de l'Allemagne par les Douze.
— Engagement en faveur d'une future Union politique de l'Europe.

Édimbourg (décembre 1992) :
— Remise sur les rails du traité de Maastricht, après le rejet danois et la crise monétaire de la fin 1992.

■ Les conférences inter-gouvernementales

Il s'agit d'une pratique réservée à la révision des traités fondateurs, ou à la négociation de traités spécifiques entre les Douze, sur des sujets intéressant la Communauté en tant que telle mais pour lesquels elle ne peut agir par les moyens habituels (directive, règlement ou décisions...). L'Acte unique en 1986 et le traité de Maastricht en décembre 1991 ont ainsi été élaborés et négociés dans le cadre de telles conférences inter-gouvernementales.

L'EUROPE PAR ÉTAPES

PASSER LES FRONTIÈRES

LES INSTITUTIONS

LES GRANDS ENJEUX

LA FORMATION

L'EUROPE ÉCONOMIQUE

TRAVAILLER EN EUROPE

L'EUROPE ET LE MONDE

Le Parlement européen : des pouvoirs accrus

Le Parlement européen représente les peuples d'Europe dans la construction européenne. Ses 518 membres sont, depuis 1979, élus au suffrage universel direct. Le Parlement européen s'est vu doté par l'Acte unique européen de pouvoirs renforcés pour remplir sa mission. Maastricht confirme et renforce cette évolution.

▬▬▬ Un organe de contrôle

Le Parlement européen assure un contrôle politique général des autres institutions. Il peut, à la majorité des deux tiers de ses membres, censurer la Commission et l'obliger à démissionner (cela ne s'est encore jamais produit). Avec Maastricht, toute nouvelle Commission devra recevoir l'investiture du Parlement. Ses membres peuvent poser des questions, écrites ou orales, à la Commission ou au Conseil des ministres, pour s'informer de leur action.

▬▬▬ Un organe codétenteur du pouvoir budgétaire

Ce pouvoir, partagé avec le Conseil des ministres, s'exprime de quatre façons :
☐ Le Parlement européen a le dernier mot sur le montant des dépenses dites « non obligatoires » (DNO) de ce budget (environ 25 % de l'ensemble), à l'intérieur d'une marge de manœuvre fixée par la Commission. Les dépenses obligatoires financent des actions que la Communauté a l'obligation de mettre en œuvre, de par les traités ou le droit dérivé (exemple : les dépenses de garantie des prix de la politique agricole commune). Les dépenses non obligatoires financent les actions qui résultent d'initiatives et non d'obligations (exemple : politique de développement, recherche, etc.).
☐ Il peut, depuis 1975, rejeter le budget dans son ensemble.
☐ Ce n'est qu'après que son président l'a signé que le budget devient exécutoire.
☐ Le Parlement donne la décharge à la Commission pour l'exécution du budget.

▬▬▬ Un organe législatif et d'initiative

☐ Le Parlement européen est consulté sur l'ensemble des propositions législatives de la Communauté. Son rôle s'est renforcé au cours du temps :
• Pour les propositions ayant trait à l'achèvement du marché intérieur, il dispose, dans le cadre de la procédure dite de coopération, instituée par l'Acte unique, d'une seconde lecture. Les amendements qu'il adopte à cette occasion à la majorité qualifiée (260 voix) sont dotés d'une plus grande légitimité démocratique.
• Pour les accords internationaux et les demandes d'adhésion, son avis conforme, exprimé à la majorité qualifiée, est obligatoire pour engager la Communauté.
• Le traité de Maastricht instaure une nouvelle procédure, dite de co-décision, faite de navettes multiples entre le Conseil des ministres et le Parlement, qui donne à ce dernier, sinon un réel pouvoir législatif, du moins l'associe étroitement aux décisions finales. La co-décision se substituera à la coopération pour l'achèvement du marché intérieur, tandis que cette dernière, de même que la procédure d'avis conforme, seront étendues à de nouveaux domaines.

LE FONCTIONNEMENT

■ La composition du Parlement européen

— Les députés, leur nationalité : Les États-membres envoient au Parlement européen un nombre de députés proportionnel à leur taille : la RFA, l'Italie, le Royaume-Uni et la France ont chacun 81 députés, l'Espagne 60, les Pays-Bas 25, la Grèce, la Belgique et le Portugal 24, le Danemark 16, l'Irlande 15 et le Luxembourg 6.

— Les groupes politiques : Les députés européens se rassemblent non par nationalités, mais par affinités d'idées, au sein de groupes politiques. Il faut 23 députés pour constituer un groupe mononational, mais seulement 15 pour un groupe binational, et 12 au-delà de deux nationalités.

■ Comment travaille le Parlement européen ?

Le Parlement européen a à sa tête un président (l'Allemand Egon Klepsch depuis janvier 1992), assisté d'un bureau de 14 vice-présidents et de 5 questeurs, et d'un bureau élargi (les mêmes plus les présidents des groupes politiques). 19 Commissions et 3 sous-commissions spécialisées (agriculture, budget, affaires sociales...), réunissant de 20 à 56 députés, assurent le travail préparatoire aux sessions plénières.

■ La législature 1989-1994 : les groupes politiques

Groupe	Membres	Membres français
Groupe socialiste	203	22 (PS et apparentés)
Groupe du parti populaire européen (démocrates-chrétiens)	171	12 (CDS, PR)
Groupe libéral, démocratique et réformateur	47	10 (Radicaux, PSD)
Groupe des Verts	29	7 (Verts)
Groupe du Rassemblement des démocrates européens	20	11 (RPR)
Groupe Arc-en-ciel (régionalistes, anti-communautaires danois)	16	1 (Corse)
Coalition des gauches (communistes français grecs et portugais + 1 Irlandais)	15	7 (PCF)
Groupe technique des droites européennes	14	10 (FN)
Non inscrits	21	0

La Cour de justice

La Cour de justice des Communautés siège à Luxembourg. Elle assure, au sein des douze États-membres de la CEE, le respect des traités européens ainsi que des règlements, directives et décisions qui en découlent. Sa principale tâche est d'interpréter et d'appliquer le droit communautaire. Par ses nombreux arrêts, la Cour de justice favorise l'émergence d'un véritable droit européen qui s'impose à tous : institutions communautaires, États-membres, tribunaux nationaux, simples particuliers, entreprises.

▬▬▬ Une instance indépendante

□ La Cour de justice se compose de treize juges assistés de six avocats généraux.
□ Les juges et les avocats généraux sont nommés pour six ans d'un commun accord par l'ensemble des États-membres. Ils sont choisis parmi des personnalités offrant toute garantie d'indépendance et de compétence notoire. Le président de la Cour de justice est élu parmi les juges pour trois ans.
□ La Cour compte actuellement un juge par État-membre. Le treizième poste de juge est attribué à la discrétion des gouvernements. Les arrêts de la Cour sont rendus à la majorité (sept juges sur treize) et sont applicables immédiatement.

▬▬▬ Le rôle de la Cour

□ La Cour de justice tranche uniquement les questions de droit communautaire. Sa mission est d'interpréter et d'appliquer le droit communautaire mais pas d'appliquer le droit national. Elle est donc compétente pour :
— les litiges entre États-membres (exemple : Espagne contre Royaume-Uni) ;
— les litiges entre la CEE et les États-membres (exemple : la Commission européenne poursuit la France pour manquement aux règles des traités européens) ;
— les litiges entre les institutions communautaires (exemple : le Parlement européen attaque le Conseil des ministres parce que ce dernier a négligé de le consulter avant de rendre une décision) ;
— les litiges entre des particuliers et la Communauté (exemple : la Commission européenne poursuit une entreprise pour non-respect des règles de la concurrence).
□ Enfin, elle rend des décisions préjudicielles : cette compétence s'applique lorsqu'un litige en instance devant une juridiction nationale est déféré par cette dernière à la Cour de justice. Les décisions préjudicielles revêtent une importance capitale pour l'interprétation uniforme du droit communautaire.

▬▬▬ Un tribunal de première instance

Pour alléger la charge de travail de la Cour de justice, il a été décidé d'adjoindre à la Cour de justice une juridiction de première instance : le tribunal de première instance (TPI).
Le TPI fonctionne depuis le 17 juillet 1989 ; il est compétent pour :
— les litiges entre les institutions de la CEE et leurs agents et fonctionnaires ;
— les affaires de concurrence ;
— les recours en dommages et intérêts.
Ses arrêts valent sous réserve de pourvoi en appel devant la Cour de justice.

■ Un élément moteur de l'intégration européenne

La Cour de justice s'est révélée comme un élément moteur de l'intégration européenne. L'influence de la Cour est d'autant plus importante que ses arrêts, qui s'imposent à tous, vont souvent dans le sens du renforcement de la construction européenne. Elle jouera encore dans les années à venir un rôle crucial pour accélérer la réalisation du grand marché intérieur prévu d'ici 1993. Rappelons quelques arrêts parmi les plus significatifs rendus au cours des dernières années :

— Dans l'arrêt Nold, en 1975, la Cour a affirmé que les droits de l'homme font partie intégrante du droit communautaire.

— Dans l'arrêt Royer, en 1976, la Cour a confirmé le droit pour un ressortissant d'un État-membre de séjourner sur le territoire d'un autre État-membre indépendamment de tout titre de séjour délivré par l'État d'accueil.

— Dans l'arrêt «Cassis de Dijon», en 1979, la Cour a statué que tout produit légalement fabriqué dans un État-membre doit être, en principe, admis sur le marché de tout État-membre.

— En 1971, un arrêt de la Cour a reconnu à la Communauté la compétence de conclure des accords internationaux.

— Enfin, en 1983, la Cour, par l'arrêt Gravier a condamné la Belgique. Motif : les écoles et universités belges réclamaient un droit d'inscription aux étudiants originaires d'un autre pays-membre de la CEE alors qu'aucun droit n'était imposé aux étudiants belges. La Cour a donc obligé l'État belge, au nom du principe de non-discrimination, à rembourser aux étudiants étrangers les droits d'inscription perçus.

■ La Cour de justice en chiffres

Arrêts rendus

	1990	1991
Recours préjudiciels	113	108
Recours directs	73	90
Pourvois	-	5
Procédures particulières	-	1
Recours de fonctionnaires	7	-
TOTAL	193	204

Affaires réglées

	1990	1991
Moyennant arrêt	227	214
Moyennant ordonnance mettant fin à l'instance	75	73
Moyennant avis	-	1
TOTAL	302	288

Affaires introduites

	1990	1991
Recours préjudiciels	141	186
Recours directs	222	140
Pourvois	16	14
Avis/Délibérations	-	2
Procédures particulières	5	3
TOTAL	384	345

	1990	1991
Demandes en référé	12	9
Affaires pendantes	583	640

Durée moyenne des procédures
(Vacances judiciaires comprises)

	1990	1991
Recours préjudiciels	17,4 mois	18,5 mois
Recours directs	25,5 mois	24,2 mois
Pourvois	-	15,4 mois
Procédures particulières	-	2,7 mois

Source : Cour de justice.

L'EUROPE PAR ÉTAPES

PASSER LES FRONTIÈRES

LES INSTITUTIONS

LES GRANDS ENJEUX

LA FORMATION

L'EUROPE ÉCONOMIQUE

TRAVAILLER EN EUROPE

L'EUROPE ET LE MONDE

Défendre ses droits

> Les particuliers ont la possibilité de faire valoir leurs droits et de défendre leurs intérêts au niveau communautaire. Ils peuvent plaider leur cause devant la Cour de justice de Luxembourg, ou encore s'adresser directement à la Commission européenne ou au Parlement européen.

▬▬▬ Poser une question préjudicielle à la Cour de justice (art. 177 du traité CEE)

☐ A tout moment, lors d'un procès, l'une des parties peut demander au juge chargé du procès de poser une question dite « préjudicielle » à la Cour de justice de Luxembourg.

Par cette question, le magistrat national demande à la Cour comment il doit interpréter telle ou telle norme de droit communautaire (traité, règlement) ou comment il doit apprécier la validité d'un acte communautaire (règlement, directive, etc.). Si une question préjudicielle est posée à la Cour, les débats sont suspendus en attendant qu'une réponse soit apportée, dont le juge national devra alors tenir compte.

☐ Le juge national n'est pas obligé de poser une question préjudicielle à la Cour lorsqu'un problème de droit communautaire est soulevé devant une juridiction dont les décisions ne sont pas susceptibles d'appel (tribunaux de première instance, tribunaux d'appel). En revanche, il est tenu de saisir la Cour lorsqu'il n'y a plus de possibilité d'appel dans l'ordre juridique national (en cassation par exemple).

Remarques importantes : Dans cette procédure, ce n'est pas le particulier qui saisit la Cour de Luxembourg mais le magistrat. D'autre part, la Cour ne fait qu'interpréter le droit communautaire. La solution à donner au litige appartient au juge national qui applique le droit communautaire.

▬▬▬ Adresser une plainte à la Commission européenne

Un simple particulier n'a pas la possibilité de poursuivre un État-membre de la CEE devant la Cour de justice. Cependant, il peut, par simple lettre, saisir la Commission européenne à Bruxelles d'une plainte qu'il aurait à formuler à l'encontre d'un État-membre qui ne respecterait pas le droit européen. La Commission décide alors, sans appel, si elle engage des poursuites contre l'État-membre incriminé pour non-respect des règles communautaires.

▬▬▬ Exercer son droit de pétition au Parlement européen

Toute personne, société, organisation ou association qui a des griefs à formuler dont l'objet relève des activités de la CEE peut adresser une pétition au président du Parlement européen. Ce dernier transmet la requête dont il est saisi à la commission des pétitions du Parlement européen qui décide de sa recevabilité.

Si elle est recevable, la pétition est examinée par cette commission, qui prend alors toutes les mesures qu'elle juge nécessaires (contacts avec la Commission, constat des faits sur le terrain, etc.).

■ Alerter les députés européens

Chaque citoyen peut faire part de ses problèmes au député européen de sa région ou à tout autre député européen : celui-ci peut poser à la Commission européenne et aux ministres des questions écrites ou orales dont les réponses sont rendues publiques. Les parlementaires peuvent aussi alerter les milieux politiques nationaux et européens.

Par exemple, un parlementaire européen a spécialement été désigné pour remplir la fonction de médiateur en cas d'enlèvement d'enfants issus de mariages mixtes.

■ Les recours auxquels les particuliers n'ont pratiquement pas accès

• **Le recours en annulation** (art. 173 du traité CEE)

Ce recours a pour objet de faire annuler par la Cour de justice un règlement, une directive ou une décision communautaire. Il peut être introduit par les douze États-membres, le Conseil des ministres, la Commission européenne et, dans certains cas, par le Parlement européen. Si la Cour estime que le droit communautaire a été violé, elle déclare le règlement, la directive ou la décision nul(le) et non avenu(e).

Un simple particulier ne peut former un recours en annulation que contre les décisions qui le concernent directement et individuellement et dont il est le destinataire. Ce recours est donc impossible contre un règlement ou une directive qui ont tous deux une portée générale. Aussi, il est rare qu'un recours en annulation formé par un particulier aboutisse devant la Cour.

• **Le recours en manquement d'État** (art. 169 du traité CEE)

Ce recours sert à faire constater par la Cour de justice qu'un État-membre n'a pas respecté le droit communautaire.

Seuls la Commission et les États-membres peuvent introduire un tel recours. En pratique, c'est la Commission européenne qui engage les poursuites contre l'État-membre défaillant. Si l'État est condamné par la Cour, il doit modifier sa législation pour la rendre conforme au droit européen. Aucune sanction n'est prévue en cas de non-exécution d'un arrêt de la Cour. Toutefois, en règle générale, les États se conforment tôt ou tard aux arrêts de la Cour.

■ Le médiateur

Le Traité de Maastricht prévoit la création d'un médiateur qui pourra être saisi par tout citoyen européen contestant la décision d'un organe communautaire.

■ Quelques exemples de pétitions au Parlement européen

La plupart des pétitions examinées par le Parlement européen concernent les droits des citoyens :

— les pensions ou le droit à la Sécurité sociale après avoir travaillé dans plus d'un État-membre ;

— les discriminations pour raisons de nationalité ;

— les inégalités de traitement hommes/femmes ;

— les formalités aux frontières ;

— la liberté d'établissement et de prestation de services ;

— la reconnaissance des diplômes ;

— le permis de séjour, etc.

Il faut noter que le Parlement européen n'étant pas une instance judiciaire, il ne peut ni prononcer de jugement ni annuler de décisions judiciaires des États-membres.

L'EUROPE PAR ÉTAPES
PASSER LES FRONTIÈRES
LES INSTITUTIONS
LES GRANDS ENJEUX
LA FORMATION
L'EUROPE ÉCONOMIQUE
TRAVAILLER EN EUROPE
L'EUROPE ET LE MONDE

CES, Cour des comptes, BEI

Ces institutions sont moins connues que la Commission européenne, le Conseil des ministres ou le Parlement européen. Elles ne doivent cependant pas être sous-estimées. Le Comité économique et social a son mot à dire dans le processus d'adoption d'une loi communautaire. La Cour des comptes veille à la bonne gestion financière des Communautés. Enfin, la Banque européenne d'investissement est l'instrument financier le plus important de la CEE.

▬▬ Le Comité économique et social (CES)

Le CES siège à Bruxelles. Il est composé de 189 membres représentant les différentes catégories économiques et sociales, à savoir :
— les employeurs (groupe I);
— les travailleurs (groupe II);
— les représentants des intérêts divers, agriculture, commerce, artisanat, PME, professions libérales, secteur coopératif, consommateurs (groupe III).
Le Comité doit être consulté par la Commission européenne et le Conseil des ministres avant l'adoption d'un grand nombre de décisions communautaires, mais ses avis sont purement consultatifs.
En dépit de son rôle purement consultatif, le CES reste un lieu privilégié et permanent de dialogue économique et social et de concertation entre les milieux socioprofessionnels de la CEE.

▬▬ La Cour des comptes

La Cour des comptes est entrée en fonction en octobre 1977. Elle est composée de douze membres désignés à l'unanimité pour six mois par le Conseil des ministres. Son siège est à Luxembourg. La Cour des comptes examine les comptes de la totalité des recettes et dépenses de la Communauté, qu'elles soient budgétisées ou non. Elle a également pour mission de s'assurer de la bonne gestion financière des Communautés : à cette fin, elle contrôle la légalité et la régularité des recettes et des dépenses de la CEE.

▬▬ La Banque européenne d'investissement (la BEI)

La BEI est à la fois une institution communautaire et une banque. Elle emprunte l'essentiel de ses ressources sur le marché des capitaux et les reprête ensuite, sans but lucratif, en faveur d'investissements prioritaires dans la CEE.
Ses financements sont en majeure partie situés dans les régions les moins prospères de la Communauté. La BEI accorde également des prêts aux pays méditerranéens, aux pays d'Afrique, Caraïbes et Pacifique ainsi qu'aux pays de l'Est.

■ «L'autre assemblée européenne»

On compare souvent le Comité économique et social au Parlement européen du fait qu'il fonctionne sur le modèle d'une assemblée : des sections spécialisées, une assemblée plénière qui rend des avis. A la différence des parlementaires européens, les 189 membres du CES ne sont pas élus mais nommés par le Conseil des ministres pour une durée de deux ans. Ils se répartissent ainsi :
— France, RFA, Italie, Royaume-Uni : 24 membres ;
— Espagne : 21 membres ;
— Belgique, Pays-Bas, Grèce, Portugal : 12 membres ;
— Danemark et Irlande : 9 membres ;
— Luxembourg : 6 membres.
Les sièges sont répartis approximativement par tiers entre les employeurs, les travailleurs et intérêts divers.

■ Extrait du rapport de la Cour des comptes
relatif à l'exercice 1987

Contribution financière à une chaîne de télévision par la Commission
10.102. La Commission a octroyé, en octobre 1986, à une chaîne de télévision, une subvention de 1 million d'ECU. Cette chaîne a été créée par un consortium composé de cinq sociétés de télévision nationales européennes avec comme objectif, entre autres, de mener des recherches et des expérimentations dans des émissions multilingues et d'engager des équipes multinationales dans le domaine de l'information.
10.103. La Convention a été signée le 14 octobre 1986 et une première tranche de 800 000 ECU a été payée le 15 octobre 1986.
10.104. A cause de difficultés financières du consortium, les émissions de la chaîne ont été arrêtées fin novembre 1986. [...]
10.105. En application de la clause de résiliation contenue dans la convention, la Commission a résilié, en juillet 1987, la convention et a demandé aux partenaires du consortium de restituer la contri-

bution financière, majorée des intérêts légaux de 8 %. Les négociations entre la Commission et le consortium n'ont pas encore abouti à des remboursements.
10.106. L'octroi de cette contribution appelle les observations suivantes :
(a) la Commission ne s'est pas assurée, au plus tard lors de la signature de la convention, que le destinataire jouissait d'une situation financière saine. On peut mal s'imaginer que les difficultés survenues six semaines après la signature n'étaient pas prévisibles ;
(b) le consortium n'a pas présenté un budget détaillé sur les différentes phases du programme de travail à exécuter ; en outre, le programme n'était pas assez précis par les formulations utilisées ; [...]
(d) la Commission a payé 80 % d'acompte à la signature. Elle aurait dû insister afin de lier le versement d'acomptes à l'avancement de la réalisation du plan de travail ; par exemple, 30 % à la signature, 30 % après un rapport intérimaire et 40 % sur présentation d'un rapport final et des comptes. Actuellement, la perte potentielle est de 800 000 ECU.

■ Montant des prêts accordés par la BEI *(en millions d'écus)*

1990		1989
206,3	Belgique	91,1
564,7	Danemark	545,8
863,5	Allemagne	856,5
176,3	Grèce	271,4
1 942,0	Espagne	1 541,7
1 684,6	France	1 512,8
217,7	Irlande	186,8
3 855,7	Italie	3 734,4
11,8	Luxembourg	—
245,3	Pays-Bas	320,3
794,7	Portugal	755,7
1 892,8	Royaume-Uni	1 652,2
225,1	*	165,5
12 680,5	Communauté	11 634,2
153,4	ACP-PTOM	269,1
344,5	Méditerranée	342,8
215,0	Europe de l'Est	—
13 393,4	Total	12 246,1

* Financements assimilés à des opérations dans la Communauté.

Règlements, directives et décisions

Les traités fondateurs donnent aux institutions communautaires, et en particulier à la Commission et au Conseil des ministres, le pouvoir d'édicter un certain nombre de normes juridiques, règlements, directives, décisions, recommandations, afin de mettre en œuvre les politiques de la Communauté. On qualifie ces normes de droit dérivé. L'ensemble, traités et droit dérivé, forme l'ordre juridique communautaire.

▬▬ Le règlement

Il s'agit d'un acte de portée générale, obligatoire, s'appliquant directement et intégralement dans les États-membres. Il concerne ainsi tout citoyen, à qui il confère des droits ou impose des devoirs de façon directe, sans qu'il soit besoin qu'un texte national l'introduise dans la législation des États-membres. Exemples : les prix agricoles sont chaque année arrêtés sous forme de règlement, la libre circulation des travailleurs et de leur famille dans la CEE est garantie et mise en œuvre par un règlement, le règlement 1612/68 du 15 octobre 1968.

▬▬ La directive

La directive est un acte qui impose aux États-membres d'atteindre un certain but, dans un délai donné, tout en leur laissant le choix des moyens juridiques pour y parvenir (loi, décret, etc.). La directive doit donc être transposée dans leur droit national par les États-membres pour y être applicable. La Cour de justice a néanmoins jugé qu'une directive, à condition d'être suffisamment claire et précise, pouvait être directement applicable aux citoyens et aux entreprises dans l'ordre interne d'un État-membre si ce dernier n'avait toujours pas transposé la directive dans sa législation, passé le délai accordé pour ce faire. Exemples : l'harmonisation des règles techniques relatives aux produits ou celle des législations nationales concernant la TVA, dans le cadre de l'achèvement intérieur, est réalisée au moyen de directives.

▬▬ La décision

La décision est un acte obligatoire, directement applicable, adressé à une personne ou à une catégorie de personnes bien identifiées. Exemple : c'est par décision que la Commission enjoint aux entreprises de cesser leurs pratiques contraires à la politique européenne de la concurrence, et de payer des amendes en conséquence.

▬▬ La recommandation

La recommandation invite les États-membres à agir dans telle direction, à prendre telle ou telle mesure. La recommandation n'est pas contraignante, même si, pour le Cour de justice, les États-membres ne peuvent totalement ignorer son contenu.

■ La supériorité du droit communautaire

La notion même de Communauté implique la suprématie de l'ordre juridique communautaire sur les droits nationaux. La Cour de justice a, dans une jurisprudence vieille de plus de vingt ans, affirmé clairement ce principe : « Le droit né du traité ne pourrait, en raison de sa nature spéciale et originale, se voir judiciairement opposer un texte interne quel qu'il soit. » Les États-membres doivent donc abroger et s'abstenir d'adopter toute disposition nationale contraire à une nouvelle norme communautaire.

■ La mise en œuvre du droit communautaire dans les États-membres

La suprématie du droit communautaire est souvent battue en brèche dans la pratique quotidienne des États-membres. La Commission publie annuellement un rapport sur l'application du droit communautaire, dans lequel elle dénonce ce manque de respect.

— Dans sa dernière édition (COM. 92/136), elle indique qu'elle a engagé 877 procédures d'infraction en 1991 (contre 960 en 1990), dont 239 sur base de ses propres investigations, 125 de questions parlementaires, 17 de pétitions, et le reste à la suite de plaintes d'entreprises, d'associations, ou de citoyens (1 052 plaintes ont été déposées à la Commission en 1991). Concluant sur ces chiffres, la Commission trace les grandes lignes de son action : « Les contacts avec les États-membres... et les administrations nationales : ... cette collaboration permet de résoudre un nombre croissant de cas d'infraction. Elle permet aussi d'assurer un suivi quasi quotidien de la mise en œuvre du droit communautaire... » ;

— Au sujet de la transparence et de la simplification du droit communautaire : « Afin de pallier les difficultés de mise en œuvre du droit communautaire provoquées par la complexité de la législation communautaire, la Commission a lancé une double opération de codification :

• la codification constitutive : le remplacement d'anciens textes plusieurs fois modifiés par de nouveaux, devant être adoptés par le Conseil... ;

• la codification informative : ... sans valeur juridique, permettant cependant aux administrations nationales comme aux opérateurs économiques de faire face à la rapidité de l'évolution juridique de certains domaines ;

• la formation des juristes ».

Signalons enfin que le traité de Maastricht dispose que les États-membres qui, condamnés par la Cour de justice de Luxembourg, ne se seront pas conformés à la sentence, pourront se voir infliger une amende forfaitaire ou une astreinte.

■ Le Journal officiel des Communautés européennes

L'ensemble des actes officiels des Communautés sont publiés quotidiennement au Journal officiel des Communautés européennes (JOCE). Ce dernier comprend trois éditions :

— la série L (Législation) publie tous les actes adoptés (règlements, directives, décisions, recommandations, traités signés par la CEE) ;

— la série C (Communication) publie l'ensemble des propositions de législation communautaire (propositions de règlements, de directives, de décisions...), les débats, résolutions, avis et questions du Parlement européen, les rapports de la Cour des comptes, les avis du Comité économique et social de la CEE, les avis de concours pour les institutions, les appels d'offres des institutions de la CEE ;

— la série S (Supplément) publie les appels d'offre des marchés publics des États-membres soumis à une publicité communautaire et ceux des PVD avec lesquels la Communauté coopère, tels les pays signataires de la Convention de Lomé.

Le JOCE est publié par l'Office des publications officielles des Communautés, à Luxembourg. Il est possible de s'y abonner.

L'histoire d'une loi communautaire

Le traité de Rome a institué la procédure de consultation. L'Acte unique a introduit la procédure de coopération. Le traité de Maastricht franchit un nouveau pas avec la procédure de codécision qui donne au Parlement européen le pouvoir d'arrêter conjointement avec le Conseil les lois communautaires, sur un pied d'égalité.

A l'origine d'une loi communautaire, on trouve toujours une proposition de la Commission européenne au Conseil des ministres.

▬▬▬ S'il s'agit d'une procédure de consultation

— Le Conseil des ministres demande l'avis du Parlement européen et du Comité économique et social.

— Lorsque ces avis ont été rendus, la Commission a la faculté de modifier sa proposition initiale en reprenant à son compte l'avis du Parlement si elle le souhaite.

— La proposition est alors réexaminée par le Conseil qui peut l'amender ou l'adopter telle quelle.

Il arrive que le Conseil ne parvienne pas à un accord. Dans ce cas, la proposition peut rester sur la table du Conseil parfois plusieurs années. Ainsi, la directive sur la société anonyme européenne est sur la table du Conseil depuis... 1969.

▬▬▬ S'il s'agit d'une procédure de coopération

— Le Conseil demande l'avis du Parlement européen et du Comité économique et social.

— Ensuite, il est tenu d'adopter à la majorité qualifiée une « position commune ».

— Lorsque cette position commune a été trouvée, elle est transmise au Parlement européen qui dispose de trois mois pour l'accepter, la rejeter ou la modifier au cours d'une deuxième lecture (le Parlement européen est donc consulté deux fois dans cette procédure).

— Après l'avis du Parlement européen, la Commission peut à nouveau modifier sa proposition initiale en tenant compte, si elle le souhaite, de l'avis du Parlement.

— La nouvelle proposition retourne alors au Conseil qui doit prendre une décision finale dans les trois mois à la majorité qualifiée.

— Si le Conseil ne veut pas tenir compte des amendements du Parlement européen, il est obligé de prendre sa décision à l'unanimité, ce qui est bien sûr plus difficile. Comme dans la procédure de consultation, c'est le Conseil des ministres qui a le dernier mot.

Remarques : La pondération des voix a été conçue de manière à éviter tout blocage du système. Ainsi on évite la marginalisation d'un État-membre ou une alliance systématique qui jouerait contre les petits États.

— Les « quatre grands » ne peuvent décider seuls car il leur faut au minimum trois autres États pour faire une majorité.

— De même, les six pays fondateurs ne peuvent plus s'imposer seuls ni deux des « quatre grands » bloquer le système car il leur manque alors trois voix.

■ Histoire d'une loi communautaire

Cheminement des procédures législatives de la CEE (directives et règlements)

Procédure de consultation   Procédure de coopération

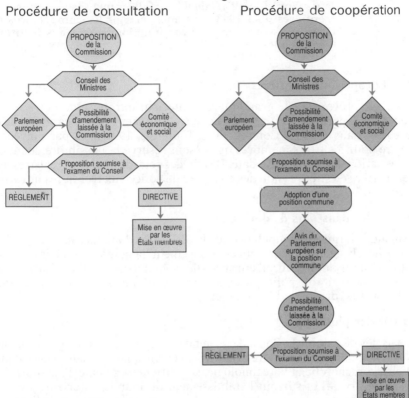

Source : Commission européenne.

■ La procédure de codécision

Cette procédure s'appliquera dès l'entrée en vigueur du traité de Maastricht. Elle comporte les étapes suivantes :
— la proposition présentée par la Commission ;
— la première lecture par le Parlement européen ;
— la position commune du Conseil ;
— la seconde lecture par le Parlement européen.
• A l'issue de la seconde lecture, le Conseil peut :

— soit adopter les amendements parlementaires ; le texte est alors adopté ;
— soit rejeter ces amendements. S'engage alors une procédure de conciliation au sein d'un comité qui réunit à parité des représentants du Conseil et du Parlement.
• Deux cas de figures sont possibles :
— le comité de conciliation se met d'accord sur un projet commun. Si le Conseil et le Parlement se prononcent favorablement, le texte commun est adopté ;
— dans le cas contraire, la proposition est abandonnée.

L'Acte unique européen

L'Acte unique est entré en vigueur le 1er juillet 1987. Il s'agit d'un véritable traité, conclu par les douze États-membres de la Communauté, en vue de relancer la construction européenne. L'Acte unique complète et modifie les traités européens existants. Son objectif est double : réaliser un espace européen sans frontières d'ici 1993 mais aussi élargir les compétences de la CEE et assurer un meilleur fonctionnement des institutions européennes.

▬▬ L'Europe sans frontières

L'Acte unique prévoit que le grand marché intérieur européen doit être réalisé au 1er janvier 1993, permettant ainsi aux hommes, aux biens et aux capitaux de circuler librement dans toute la Communauté. Toutefois, 1993 n'est pas une échéance obligatoire pour les États-membres qui se sont réservé la possibilité de maintenir des règles nationales après cette date. De fait, des retards ont été enregistrés, notamment en matière de suppression des contrôles de police aux frontières intracommunautaires.

▬▬ Décider dans plus de domaines

L'Acte unique élargit les compétences de la CEE à des domaines nouveaux : la monnaie, la recherche technologique et l'environnement, la politique sociale et régionale. En institutionnalisant le Conseil européen (les sommets des chefs d'État), l'Acte unique permet une véritable politique étrangère européenne sur les questions internationales (conflits, droits de l'homme, etc.).

▬▬ Décider plus vite

Désormais, les décisions du Conseil des ministres, qui devaient être pour la plupart prises à l'unanimité, pourront être prises à la majorité qualifiée dans quatre domaines essentiels : la recherche et la technologie, la politique régionale, l'amélioration des conditions de travail et surtout l'établissement du marché intérieur.
Les États-membres conservent leur droit de veto dans le domaine de l'harmonisation de la fiscalité, de la libre circulation des personnes (droit de séjour) et des droits des salariés dans l'entreprise.

▬▬ Décider plus démocratiquement

Le Parlement se voit dorénavant associé à la prise de décision communautaire par la procédure dite de « coopération » avec la Commission et le Conseil des ministres. Ainsi, le Parlement peut modifier ou même rejeter des textes pour toutes les questions qui relèvent :
— de l'organisation du marché intérieur ;
— de la politique sociale et régionale ;
— de la recherche et du développement technologique.
Enfin, l'Acte unique impose que le Parlement donne un avis conforme avant que les États-membres ne signent un traité d'adhésion avec un nouveau membre ou ne concluent un accord d'association avec un pays tiers.

POINTS DE REPÈRE

■ Objectif 1993 : 1er bilan

Conférence de presse du commissaire Raniero Vanni d'Archirafi, chargé du marché intérieur (21 janvier 1993).

« Si le 1er janvier 1993 peut être considéré comme un succès, c'est un succès dont il est indispensable de consolider les fondations : des décisions doivent encore être adoptées et des problèmes de mise en œuvre doivent être résolus pour que le marché intérieur devienne un véritable espace sans frontières et que les citoyens et les entreprises en tirent tout le bénéfice attendu.

A quelques exceptions près et de façon généralement satisfaisante, tous les contrôles aux frontières intérieures de la Communauté liés aux marchandises, services et capitaux ont disparu au 1er janvier 1993. Certains dossiers importants sont toutefois encore sur la table du Conseil ; ils concernent le secteur des transports, de la fiscalité indirecte, des règles vétérinaires et phytosanitaires ou encore des biens culturels. En revanche, en ce qui concerne la libre circulation des personnes, des progrès importants doivent encore être réalisés pour supprimer les contrôles d'identité aux frontières intérieures de la Communauté. [...] Pour assurer la réussite du marché intérieur, il est essentiel que soit maintenue et approfondie la confiance mutuelle qui s'est développée entre les États-membres. En conséquence, la Commission devra continuer à veiller avec détermination à l'application effective des actes communautaires dans les États-membres. »

■ Quelles conséquences pour les citoyens européens ?

Depuis le 1er janvier 1993, les personnes peuvent circuler, vivre, s'installer, travailler n'importe où dans la Communauté.

— Les barrières douanières sont levées dans les douze pays pour les hommes, les animaux, les marchandises et les capitaux : les formalités et les contrôles douaniers aux frontières sont supprimés.

— Un Européen ne doit plus justifier d'une activité de salarié, d'indépendant ou de prestataire de services pour séjourner sans limite de temps dans un des États-membres.

— La reconnaissance mutuelle des diplômes permet d'exercer toutes les professions libérales dans l'espace européen.

— Les citoyens bénéficient d'une protection élevée dans les domaines de l'environnement, de la santé et de la consommation.

■ La majorité qualifiée

— Le recours au vote à la majorité qualifiée au sein du Conseil des ministres est devenu effectif depuis le 1er juillet 1987, date d'entrée en vigueur de l'Acte unique.

— Les États-membres disposent chacun d'un nombre de voix pondéré selon leur importance :
• France, Italie, RFA et Royaume-Uni : 10 voix.
• Espagne : 8 voix.
• Belgique, Grèce, Pays-Bas et Portugal : 5 voix.
• Danemark et Irlande : 3 voix.
• Luxembourg : 2 voix.

— La majorité qualifiée est de 54 voix sur 76.

— Pour être adoptée, une proposition de la Commission soumise au vote du Conseil doit réunir 54 voix indiscriminées.

L'EUROPE PAR ÉTAPES
PASSER LES FRONTIÈRES
LES INSTITUTIONS
LES GRANDS ENJEUX
LA FORMATION
L'EUROPE ÉCONOMIQUE
TRAVAILLER EN EUROPE
L'EUROPE ET LE MONDE

Le traité de Maastricht (1)

Le traité de Maastricht (Pays-Bas), signé le 7 février 1992, transforme la CEE en une Union européenne. Il devrait entrer en vigueur en 1993, après sa ratification par les Parlements nationaux. Une révision du traité interviendra au plus tard en 1996.

▨▨▨ Une Union économique et monétaire

Au 1er janvier 1999 au plus tard, l'ECU deviendra la monnaie unique pour tous les pays de la CEE économiquement prêts. Les Douze décideront au plus tard le 1er janvier 1998 lesquels d'entre eux sauteront le pas. Le Royaume-Uni pourra choisir d'adopter ou non la monnaie européenne. Une banque centrale européenne indépendante sera garante de la stabilité des prix et de la monnaie.

▨▨▨ Une Union politique

☐ Le traité d'Union confère à l'Europe une dimension politique et non plus seulement économique. On parlera désormais de « Communauté européenne » (CE) et non plus de « Communauté économique européenne » (CEE).

☐ Le nouveau traité prévoit, dès son entrée en vigueur :
— une citoyenneté de l'Union pour les citoyens des Douze,
— le lancement d'une politique étrangère et de sécurité commune pouvant déboucher, le moment venu, sur une défense européenne,
— un élargissement des compétences communautaires : politique industrielle, grands réseaux transeuropéens, transports, télécommunications, protection des consommateurs, éducation, formation professionnelle, santé, culture,
— une extension des domaines où les Douze peuvent décider à la majorité qualifiée et non à l'unanimité,
— un accroissement des pouvoirs du Parlement européen.

▨▨▨ Une politique sociale à onze

La politique sociale a fait l'objet d'un accord à onze, le Royaume-Uni refusant d'y participer. Les Onze ont prévu des procédures spéciales de décision pour adopter, au sein de la Communauté, des lois européennes garantissant un certain nombre de droits pour les salariés.

▨▨▨ La justice et les affaires intérieures

Maastricht institutionnalise la coopération intergouvernementale sur les questions sensibles de la justice, de l'immigration et du droit d'asile.

☐ Les Douze ont créé l'amorce d'une police européenne : un office européen (EUROPOL) permettra l'échange d'informations sur le terrorisme, le trafic de drogue et la grande criminalité.

L'UNION EUROPÉENNE EST LANCÉE

■ La citoyenneté européenne

Le traité de Maastricht institue la citoyenneté de l'Union : « Est citoyen de l'Union, toute personne ayant la nationalité d'un État-membre. »

La nouvelle citoyenneté européenne implique :
— le droit de vote et d'éligibilité aux élections municipales et aux élections européennes pour tout citoyen de l'Union résidant dans un État-membre dont il n'a pas la nationalité. Ce droit s'exercera dès le prochain scrutin de 1994 pour le Parlement européen et en 1995 au plus tôt pour les élections municipales. Des dérogations pourront être accordées à certains États-membres ;
— le droit à la libre circulation et le droit de séjour sur le territoire des États-membres ;
— le droit de pétition devant le Parlement européen et le droit de s'adresser à un médiateur désigné par le PE ;
— le droit à la protection diplomatique et consulaire de tout État-membre sur le territoire des pays-tiers.

■ Un Fonds de cohésion pour les pays les moins riches

Certains pays ont besoin d'une aide complémentaire pour aborder l'union économique et monétaire dans les meilleures conditions. A partir du 31 décembre 1993, un Fonds de cohésion sera créé pour soutenir la protection de l'environnement et la modernisation des transports en Espagne, en Grèce, en Irlande et au Portugal.

■ Une rallonge de 20 milliards d'ECU

Pour bénéficier des retombées de l'Union européenne, le budget de la CEE devra progresser sensiblement. Jacques Delors « estime nécessaire de prévoir un accroissement d'environ 20 milliards d'ECU des ressources communautaires d'ici à 1997 ».

■ Le principe de subsidiarité

Le traité de Maastricht consacre un partage des compétences entre les États-membres et la CEE : ne seront réalisées au niveau de l'Union que les actions qui, en raison de leur dimension ou de leurs effets, ne peuvent pas être réalisées plus efficacement au niveau des États-membres ou des régions.

Concrètement, cela signifie que toute une série de domaines — éducation, formation, systèmes de santé et de sécurité sociale, culture, justice, affaires civiles, etc. — continueront à relever de la compétence quasi exclusive des États-membres, la Communauté se limitant à encourager, favoriser ou compléter l'action des États-membres sans pouvoir recourir à des mesures d'harmonisation (par ex. directives).

■ L'objectif du marché unique demeure

Maastricht ne fait que prolonger et amplifier les effets du marché unique prévu par l'Acte unique européen. Ainsi, au 1er janvier 1993, auront bien lieu :
— la libre circulation des services, capitaux, marchandises et des personnes,
— l'abolition des frontières fiscales,
— l'ouverture des marchés publics.

■ Le Parlement européen renforcé

Le PE devient le co-législateur du système communautaire et obtient un droit de veto sur certains projets législatifs dans les domaines suivants : réseaux transeuropéens, reconnaissance des diplômes, santé, culture, libre circulation des travailleurs, mise en œuvre du grand marché de 1993, protection des consommateurs, éducation, recherche.

■ Pas de perspective fédérale pour l'instant

Le traité d'Union organise un partage de souveraineté entre les États-membres et la Communauté, assorti d'un exercice conjoint de la souveraineté. A la demande du Royaume-Uni notamment, toute référence à la vocation fédérale de l'Union a été écartée au profit d'une « union sans cesse plus étroite entre les peuples de l'Europe dans laquelle les décisions sont prises d'une manière aussi proche que possible des citoyens ». L'Union est donc d'essence inter-gouvernementale et non supranationale.

LE CONSEIL DES MINISTRES DES DOUZE

	AVANT MAASTRICHT	APRÈS MAASTRICHT			
		Communauté** européenne	Social	PESC Politique étrangère et de sécurité commune	Justice et affaires intérieures
UNANIMITÉ	• Coopération en politique étrangère • Fiscalité • Politique sociale • Recherche et développement technologique • Environnement • Information, consultation et représentation des travailleurs dans l'entreprise • Libre circulation des personnes (contrôles des personnes aux frontières et droit de séjour)	• Politique industrielle (assurer la compétitivité) • Culture (sauvegarde, échanges culturels). • Recherche, développement technologique et environnement (champ d'intervention élargi) • Droit de vote et d'éligibilité aux élections locales et européennes (modalités) • Visas d'entrée dans la CE jusqu'en 1996	Le Royaume-Uni n'est pas soumis à ce chapitre • Sécurité sociale • Représentation dans l'entreprise • Protection des travailleurs en cas de résiliation du contrat de travail • Conditions d'emploi des étrangers non ressortissants de l'Union européenne	• Le Conseil décide graduellement d'actions communes à mener dans les domaines d'intérêt commun; ex. : le désarmement, le processus de la CSCE (Conférence sur la Sécurité et la Coopération en Europe), la non-prolifération nucléaire, le contrôle des exportations d'armes	• Conditions d'entrée et séjour des étrangers • Lutte contre l'immigration clandestine • Politique d'asile • Coopération judiciaire et policière • Coopération douanière • Lutte contre le trafic de drogue • Frontières extérieures de la CE par des personnes. Le conseil décide d'actions communes et adopte des conventions internationales
VOTE À LA MAJORITÉ QUALIFIÉE*	• Libre circulation *des marchandises* *des capitaux* *des travailleurs* • Libre établissement des non-salariés • Libre prestation des services • Aides aux régions défavorisées • Mise en œuvre du Grand Marché de 1993 • Transport • Santé et sécurité des travailleurs • Concurrence • Agriculture • Fonds social européen	• Union économique et monétaire • Visas d'entrée dans la CE à partir de 1996 • Éducation, formation professionnelle et jeunesse • Réseaux transeuropéens (transport, télécommunications, énergie) • Santé publique (prévention) • Aide aux pays en voie de développement • Protection des consommateurs • Transport *(champ d'intervention élargi)*	• Information et consultation des travailleurs • Amélioration des conditions de travail • Égalité entre hommes et femmes • Intégration des personnes exclues du marché du travail	Les mesures d'application peuvent être adoptées à la majorité qualifiée	Les mesures d'application peuvent être adoptées à la majorité qualifiée

* Vote à la majorité qualifiée : les votes des États sont pondérés en fonction de critères démographiques, politiques et économiques : au total, 76 voix. La majorité qualifiée est des deux tiers, soit 54 voix.
** La Communauté garde les compétences qu'elle possédait déjà avant Maastricht. La Commission garde son pouvoir de proposition de la législation.

Les nouvelles compétences européennes

LE PARLEMENT EUROPÉEN

	AVANT MAASTRICHT	APRÈS MAASTRICHT			
		Communauté européenne	Social	PESC – Politique étrangère et de sécurité commune	Justice et affaires intérieures
CONSULTATION*	• Agriculture • Fiscalité • Représentation des travailleurs dans l'entreprise • Libre circulation des personnes (contrôle aux frontières et droit de séjour)	• Modalités d'exercice du droit de vote et d'éligibilité aux élections locales et européennes • Visas d'entrée dans la CEE • Mesures de politique industrielle • Investiture de la Commission européenne (y compris son Président) • Programmes spécifiques de recherche		Le Parlement : • est consulté sur les principaux aspects et les choix fondamentaux • est régulièrement informé de l'évolution des travaux • peut poser des questions et adresser des recommandations au Conseil	Le Parlement : • est consulté sur les principaux aspects et les choix fondamentaux • est régulièrement informé de l'évolution des travaux • peut poser des questions et adresser des recommandations au Conseil
COOPÉRATION**	• Libre établissement des non-salariés • Libre circulation des travailleurs • Grand marché de 1993 • Recherche • Reconnaissance mutuelle des diplômes • Santé et sécurité des travailleurs • Aides aux régions défavorisées	• Fonds social européen • Formation professionnelle • Aide aux pays en voie de développement • Santé et sécurité des travailleurs • Transport	• Information et consultation des travailleurs • Amélioration des conditions de travail • Égalité entre hommes et femmes • Intégration des personnes exclues du marché du travail		
CODÉCISION***		• Libre établissement des non-salariés • Réseaux transeuropéens (transport, télécommunications, énergie) • Reconnaissance mutuelle des diplômes • Santé • Culture (actions d'encouragement) • Libre circulation des travailleurs • Mise en œuvre du Grand Marché de 1993 • Protection des consommateurs • Éducation (actions d'encouragement) • Programme cadre de recherche et environnement			

* Consultation : le Parlement donne son avis non contraignant en une seule lecture.

** Coopération : si un projet adopté par le Conseil des ministres à la majorité qualifiée est amendé par le Parlement, le Conseil peut cependant imposer sa volonté à l'unanimité.

*** Codécision : droit de veto du Parlement sur les projets du Conseil des ministres.

Le budget de l'Europe

La Communauté a un budget autonome, dont les recettes lui sont propres, c'est-à-dire ne proviennent pas de contributions des États-membres, mais sont décidées par elles. Ce budget, d'environ 62,8 milliards d'ECU de crédits de paiement pour 1992, sert à financer les politiques communautaires.

▬▬▬ Les recettes du budget

Elles proviennent de quatre grandes sources :
— les droits de douane perçus aux frontières extérieures de la Communauté sur les produits importés des pays tiers : 20 % des recettes ;
— les prélèvements agricoles et la « cotisation sucre » : taxes perçues lors de l'importation de ces produits dans la Communauté, afin de mettre les produits communautaires similaires dans de mêmes conditions de concurrence : 7 % des recettes ;
— une fraction (1,4 % depuis 1986) de la TVA perçue par les États-membres : 53 % des recettes ;
— une quatrième ressource, proportionnelle au PNB des États-membres : 20 % des recettes.
Dans le cadre d'un effort général de discipline et de planification budgétaires que s'était imposé la Communauté avant Maastricht, l'ensemble de ces ressources sera plafonné à 1,2 % du PNB communautaire au 1er janvier 1993. La Commission des Communautés estime qu'il conviendra de relever ce plafond à 1,37 % d'ici à 1997 pour pouvoir mettre en œuvre pleinement les décisions de Maastricht.

▬▬▬ Les dépenses

On a longtemps reproché au budget de ne financer que l'agriculture, et d'empêcher ainsi le développement d'autres politiques communautaires. La part du budget consacrée à l'agriculture décroît pourtant régulièrement, même si elle reste importante (62 % en 1989, 57,3 % en 1992 pour le FEOGA-Garantie). Les dépenses consacrées aux politiques structurelles, visant à corriger les déséquilibres sociaux et régionaux de la Communauté, sont en augmentation constante, suite à une décision de doubler leur dotation d'ici à 1993. Elles représentent 28 % du budget pour 1992.

Le budget 1992 (Crédits de paiement, en millions d'ECU) :

Total	: 62 827	100 %	Pêche	: 333	0,5 %
Agriculture* (garantie + structures)	: 39 120	62,2 %	Éducation, formation, jeunesse	: 266	0,4 %
Politique régionale	: 8 811	14,0 %	Transports, tourisme	: 126	0,2 %
Politique sociale	: 4 977	7,9 %	Environnement, consommateurs	: 98	0,15 %
Dépenses de fonctionnement	: 2 755	4,3 %	Information, communication,		
Développement**	: 2 244	3,5 %	Culture	: 78	0,10 %
Recherche/Énergie	: 2 064	3,2 %	Divers	: 1 955	3,1 %

(*) dont 57,3 % pour les seules dépenses de garantie.
(**) Attention : la majeure partie des dépenses communautaires en faveur de la coopération avec les PVD, celles issues de la convention de Lomé avec les pays d'Afrique, des Caraïbes et du Pacifique, ne transite pas par le budget, mais par un instrument autonome : le Fonds européen de développement (FED).

POINTS DE REPÈRE

■ Qui vote le budget?

Il y a deux autorités budgétaires : le Conseil des ministres et le Parlement européen. Chacun est maître de certaines dépenses : le Conseil a le dernier mot sur ce que l'on appelle les dépenses obligatoires (DO), qui découlent directement des dispositions des traités ou des actes dérivés. Ces DO représentent environ 75 % du budget. Le Parlement a, dans la limite d'une marge de manœuvre fixée par la Commission des Communautés, le dernier mot sur les dépenses dites « non obligatoires » (DNO), soit environ 25 % du budget. Le Parlement peut également rejeter le budget dans son ensemble, et obliger son partenaire à recommencer la procédure budgétaire (il l'a fait en 1979 et en 1984). Enfin, le président du Parlement signe le budget, qui ne devient exécutoire qu'après cet acte. La procédure budgétaire ayant été source de nombreux conflits entre les deux institutions, une procédure de concertation et un accord inter-institutionnel permettant notamment de définir des perspectives financières à moyen terme, dans lesquelles chaque budget annuel doit s'inscrire, ont été introduits.

■ Les perspectives financières de la Communauté après Maastricht

La Commission des Communautés estime que le budget communautaire devra croître de 20 milliards d'ECU entre 1992 et 1997 pour que les engagements pris à Maastricht soient pleinement réalisés. Voici l'évolution qu'elle prévoit pour arriver à ce résultat :

Crédits d'engagement (en milliards d'ECU 1992)	1987	1992	1997
Politique agricole commune	32,7	35,3	39,6
Actions structurelles (dont le Fonds de cohésion)	9,1	18,6	29,3
Politiques internes (autres que les actions structurelles)	1,9	4	6,9
Politiques extérieures	1,4	3,6	6,3
Dépenses d'administration (et remboursements)	5,9	4	4
Réserves	0	1	1,4
TOTAL	**51**	**66,5**	**87,5**
CRÉDITS DE PAIEMENT NÉCESSAIRES	49,4	63,2	83,2
- en pourcentage du PNB	1,05 %	1,15 %	1,34 %
Plafond des ressources propres en pourcentage du PNB	(pas de plafond) (sauf TVA = 1,4 %)	1,20 %	1,37 %

N.B. : Taux de croissance annuel moyen du PNB

— 87-92 (Réalisé)   3,1 %
— 92-97 (Hypothèse) 2,5 %

Source : « De l'Acte unique à l'après-Maastricht : les moyens de nos ambitions ».
Commission des Communautés européennes
COM(92) 2000, 1992.

L'EUROPE PAR ÉTAPES
PASSER LES FRONTIÈRES
LES INSTITUTIONS
LES GRANDS ENJEUX
LA FORMATION
L'EUROPE ÉCONOMIQUE
TRAVAILLER EN EUROPE
L'EUROPE ET LE MONDE

L'Europe verte

1. Les mécanismes de marché

La **Politique agricole commune (PAC)** est la plus ancienne et la plus intégrée des politiques européennes. Née en 1962 dans une période de pénurie alimentaire, les mécanismes qu'elle a instaurés pour soutenir la production ont fait l'objet d'une réforme profonde pour s'adapter à une situation d'excédents.

Des objectifs fondamentaux

L'article 39 du traité de Rome assigne à la PAC les objectifs suivants :
— accroître la productivité de l'agriculture ;
— assurer un niveau équitable à la population agricole ;
— stabiliser les marchés ;
— garantir la sécurité des approvisionnements ;
— maintenir des prix raisonnables pour les denrées alimentaires.

Des principes de fonctionnement simples

La PAC repose sur trois grands principes :
— L'unicité des marchés : le territoire communautaire constitue un seul marché pour les produits agricoles, dont la libre circulation totale s'est donc faite avant celle de tous les autres produits.
— La préférence communautaire : priorité doit être accordée, dans l'approvisionnement, aux produits d'origine communautaire (voir ci-contre : la PAC et les pays tiers).
— La solidarité financière : la PAC est financée par le budget communautaire. Les aides nationales des États-membres à leur agriculture sont interdites ou doivent au moins être coordonnées et contrôlées par la Communauté.

Un instrument essentiel : la politique des prix et des marchés

Les marchés agricoles sont structurés en Organisations communes de marchés (OCM). Pour éviter que le cours du marché d'un produit ne descende en deçà d'un certain seuil et que le produit ne trouve plus preneur, la Communauté intervient et se substitue au marché défaillant : elle achète ce produit à un prix garanti, fixé annuellement et valable pour toute une campagne de récoltes. Elle stocke le produit, le temps que le marché s'assainisse. Pour assurer sa mission, la Communauté dispose de ressources financières, regroupées au sein d'un fonds budgétaire : le Fonds européen d'orientation et de garantie agricole, section Garantie (FEOGA-Garantie).

La PAC
victime de ses succès ?

L'intervention communautaire était conçue à l'origine comme un filet de sécurité, destiné à corriger les déséquilibres des marchés. Mais elle n'était assortie d'aucune limite : elle était garantie quelles qu'aient été les quantités produites et commercialisées ; dès lors, les agriculteurs, aidés en cela par les progrès considérables des techniques de production (machinisme, engrais, génétique, etc.), ont produit toujours davantage, sachant que la Communauté constituait de toute façon un débouché sans risque. Les excédents sont apparus, coûteux à l'achat, au stockage et à l'écoulement. En outre, cette agriculture intensive et productiviste causait de graves dommages à l'environnement. Une réforme s'imposait donc.

La réforme :
maîtriser la production

• Une première réforme de la PAC en 1988 a essentiellement consisté à poser des limites à l'intervention de la Communauté. Les quotas laitiers, instaurés en 1984, avaient ouvert la voie. Des mécanismes semblables, plus ou moins sévères, dits «stabilisateurs», ont été adoptés pour l'ensemble des produits agricoles. En outre, les prix d'intervention ont été quasi gelés pour les dernières campagnes agricoles.
• Une seconde réforme a été adoptée en mai 1992, et rentrera progressivement en application à compter de la campagne 1993/94 — ceci pour les secteurs suivants : céréales, protéagineux, oléagineux, tabac, bovins, ovins, et lait. Elle consiste à limiter encore plus l'intervention et les prix garantis, et à augmenter en contrepartie les aides directes aux agriculteurs, non liées à la production, et favorisant des modes de production extensifs et respectueux de l'environnement.
Autant qu'une révolution économique, cette réforme constitue un véritable bouleversement quant à la place des agriculteurs dans la société : de producteurs, ils deviennent progressivement gardiens de la nature et de la pérennité de l'environnement rural.

Un exemple type :
les céréales

Les prix garantis baisseront de 35 % entre les campagnes 1993/94 et 1995/96. Des aides compensatoires à l'hectare seront instaurées, calculées en fonction des rendements moyens de la région où elles seront octroyées :
— 25 ECU × rendement régional en 1993/94 ;
— 35 ECU × rendement régional en 1994/95 ;
— 45 ECU × rendement régional en 1995/96.
Ces aides sont conditionnées au gel d'une partie de leurs terres par les agriculteurs. Les petits exploitants (produisant moins de 92 tonnes de céréales par an) pourront néanmoins échapper à cette dernière mesure.

Et la viande bovine...

Les prix garantis baisseront de 15 % sur 3 ans, et les quantités de viande garanties passeront de 750 000 tonnes en 1993 à 350 000 tonnes en 1997. Plusieurs primes (aides directes) seront instaurées :
— une prime à la vache allaitante,
— une prime aux bovins mâles,
— une prime à la transformation des veaux.
Le versement des deux premières primes est conditionné au respect de critères d'extensification : l'éleveur ne pourra élever plus de deux unités de gros bovins (UGB) par hectare.

La PAC et les pays tiers

Les échanges agricoles mondiaux ne sont pas organisés. Aussi, un système comme la PAC doit, d'une part, se protéger contre les importations massives et à bas prix qui risquent de dérégler ses mécanismes stabilisateurs et remettre en cause la préférence communautaire, d'autre part, assurer aux produits communautaires une bonne compétitivité sur les marchés mondiaux. Les produits agricoles des pays tiers qui entrent dans la CEE se voient ainsi imposer un «prélèvement agricole» égal à la différence entre le prix du produit communautaire similaire et leur propre prix. Inversement, tout produit agricole communautaire destiné à être exporté bénéficie d'une subvention, appelée «restitution», lui permettant d'être vendu à un prix analogue aux produits des pays tiers.

L'EUROPE PAR ÉTAPES
PASSER LES FRONTIÈRES
LES INSTITUTIONS
LES GRANDS ENJEUX
LA FORMATION
L'EUROPE ÉCONOMIQUE
TRAVAILLER EN EUROPE
L'EUROPE ET LE MONDE

L'Europe verte
2. Les mesures sociostructurelles

Les mesures sociostructurelles agricoles, financées par le Fonds d'orientation et de garantie agricole, section Orientation (FEOGA-Orientation : plus de 2 milliards d'ECU en 1990), visent à corriger les déséquilibres de l'agriculture européenne, à la moderniser, à l'orienter vers des productions d'avenir.

L'agriculture des Douze : une grande diversité

Les productions septentrionales (céréales, élevage, lait) complètent les productions méridionales (huile d'olive, vin, etc.) pour offrir aux consommateurs européens une gamme à peu près complète de produits. Mais les conditions de production sont très diverses : la taille des exploitations varie de 4 ha en moyenne en Grèce à 65 ha au Royaume-Uni ; les Pays-Bas produisent plus de 62 quintaux de blé à l'ha, le Portugal moins de 16 quintaux.

Faire face à la crise agricole

☐ La réforme de la PAC en vue de réduire les excédents agricoles est passée par une diminution des prix garantis aux agriculteurs. Beaucoup de petits agriculteurs, particulièrement dans les régions défavorisées, ne sont plus en mesure de subsister avec le seul revenu qu'ils tirent de leur activité. La Communauté se doit de les aider.
☐ De leur côté, les gros exploitants, ceux des régions riches, sont tentés de compenser les effets des baisses de prix par une augmentation de leurs rendements, en développant une agriculture plus intensive, mais plus polluante. Des modes de production plus respectueux de la nature doivent donc être favorisés.

Du développement agricole au développement rural

☐ Une population agricole vieillissante : de 1960 à 1990, les États-membres ont perdu entre 34 % et 50 % de leurs exploitations. 50 % des agriculteurs sont aujourd'hui âgés de plus de 55 ans et la moitié d'entre eux n'ont pas de successeur.
☐ L'agriculture au cœur du monde rural : ce phénomène de la disparition progressive de la population agricole doit être analysé globalement : le progrès technique y a son rôle, rendant la production agricole de plus en plus dépendante des machines et des engrais. Mais l'agriculture est aussi un élément d'un ensemble rural plus vaste, qui comprend toutes sortes d'acteurs économiques : PME, artisans, commerçants. Toute disparition ou régression d'un de ces acteurs entraîne la disparition ou la régression d'un autre, ainsi que la raréfaction des équipements collectifs au service de tous, rendant encore moins attractive la vie rurale. Des régions européennes entières sont ainsi menacées de désertification, alors que d'autres sont saturées. La Communauté s'est lancée dans une politique de développement rural abordant aussi bien les aspects agricoles que régionaux, sociaux et environnementaux de la question.

PRINCIPALES MESURES SOCIOSTRUCTURELLES
(avec montants des aides à jour au 01.01.1993)

MESURES	OBJECTIFS ET BÉNÉFICIAIRES	MONTANTS DES AIDES
Mesures agro-environnementales	— Diminution des engrais et produits phytosanitaires — Autres méthodes d'extensification des productions végétales — Reconversion des cultures arables en pâturages extensifs — Diminution du cheptel bovin et ovin par unité de surface fourragère — Maintien de l'espace naturel — Élevage de races locales menacées de disparition — Entretien de terres agricoles ou forestières abandonnées — Retrait à long terme de terres agricoles (20 ans) pour constituer des biotopes, des parcs naturels ou protéger les eaux — Gel de terres pour l'accès au public et les loisirs — Formation des agriculteurs à l'environnement	— Entre 100 et 1 000 ECU/ha selon les actions engagées
Mesures d'aides au boisement	*Objectifs :* — amélioration des ressources sylvicoles — utilisation alternative des terres agricoles par boisement — développement des activités forestières dans les exploitations agricoles — lutte contre l'effet de serre et absorption du dioxyde de carbone *Actions éligibles :* — boisement — entretien — amélioration des surfaces boisées (brise-vent, rénovation de la subéraie, chemins forestiers, coupe-feu, points d'eau...) — financement des pertes de revenus agricoles	— Boisement : de 2 000 à 4 000 ECU/ha selon les plantations — Entretien : de 250 à 500 ECU/ha, puis de 150 à 300 ECU/ha, après deux ans, selon les plantations — Pertes de revenus agricoles : de 150 à 600 ECU/ha — Amélioration des surfaces boisées : variable selon le type d'action
Préretraite	*Objectif :* encourager les agriculteurs âgés à partir en préretraite *Bénéficiaires :* agriculteurs de plus de 55 ans, consentant à affecter les terres libérées à des usages non agricoles, ou à la restructuration et la modernisation des exploitations restantes (ex. : remembrement)	Jusqu'à 10 000 ECU/an/exploitation pendant 10 ans maximum
Installation de jeunes agriculteurs	*Objectif :* favoriser l'installation de jeunes agriculteurs *Bénéficiaires :* agriculteurs de moins de 40 ans s'installant pour la 1re fois comme chef d'exploitation	— Aide de 10 000 ECU lors de l'installation et/ou bonifications d'intérêt sur les prêts contractés pour ladite installation
Zones de montagne et/ou défavorisées	*Objectif :* compenser les handicaps naturels de ces zones *Bénéficiaires :* agriculteurs situés dans les régions de montagne et/ou défavorisées (dûment répertoriées par la Communauté)	— Indemnité compensatoire de 102 ECU par hectare ou par unité de gros bétail (UGB)/exploitation (121,2 ECU dans certaines zones), avec plafonnement à 120 ha ou 120 UGB « aidés » par exploitation

49

L'Europe bleue
La politique communautaire de la pêche

La politique communautaire de la pêche est née au début des années 80, peu après le bouleversement dû à l'extension, par tous les pays du monde, de leur zone de pêche exclusive à 200 milles marins (environ 370 km). Elle s'est développée ensuite avec l'élargissement de la Communauté à l'Espagne et au Portugal en 1986, qui a doublé le nombre des pêcheurs, augmenté le tonnage de la flotte de 65 % et les prises de 30 %.

Un marché organisé au niveau européen

Le marché européen de la pêche fonctionne grâce à quatre instruments :
☐ Des normes de commercialisation : les produits de la pêche ne peuvent être mis en vente que s'ils répondent à des spécifications précises de qualité, de taille et de présentation.
☐ Un soutien aux organisations de producteurs, à qui est confiée une partie de la gestion du marché.
☐ Un régime de prix : lorsque les cours tombent en dessous d'un certain seuil, la Communauté intervient et indemnise les pêcheurs qui retirent leurs prises du marché. L'indemnisation est d'autant plus faible que les quantités retirées sont importantes.
☐ Un mécanisme régulateur face aux pays tiers : le régime de prix ne pourrait fonctionner si des importations massives et à bas prix faisaient systématiquement chuter les cours dans la CEE. Aussi une taxe compensatoire est-elle prévue pour les importations de certaines espèces. Inversement, des subventions à l'exportation, appelées restitutions, permettent aux produits communautaires d'être commercialisés à des prix compétitifs sur les marchés mondiaux.

Des zones de pêche communes aux Douze

L'accès aux eaux de chaque État-membre est ouvert sans discrimination à tous les pêcheurs communautaires. Cependant, en deçà de 12 milles (22 km environ), les États peuvent limiter l'accès aux pêcheurs des ports riverains et aux navires d'autres États-membres y ayant des « droits historiques ». Un régime transitoire, qui durera jusqu'en 1996, s'applique en outre entre l'Espagne et le Portugal et les autres États-membres.

La modernisation et l'adaptation des techniques de pêche

La pêche est devenue une activité hautement technique où la concurrence internationale est importante. Un effort de restructuration et de diversification est entrepris, par lequel la Communauté soutient des actions en matière de recherche, d'aquaculture, de modernisation des navires et des ports, de traitement et de commercialisation des poissons et de formation des pêcheurs.

LES MESURES POUR LA MER

■ La gestion et la conservation des ressources

• Les ressources de la mer ne sont pas inépuisables, et doivent être gérées au mieux. A cette fin, la Communauté fixe chaque année des « TAC » (Total des captures autorisées), dans les eaux de la Communauté, elles-mêmes subdivisées en 44 zones de pêche, pour les espèces menacées de surexploitation.

• Chaque État-membre a un quota sur les TAC, établi en fonction de ses activités traditionnelles, de ses besoins et de ses pertes de captures dans les eaux des pays tiers du fait de l'accroissement des zones exclusives.
La pêche est interdite ou limitée dans certaines zones, comme par exemple au large de l'Écosse, où fonctionne un système de licence pour certaines espèces sensibles. La CEE a aussi réglementé le maillage des filets et, parfois, la taille des poissons. Toutes ces mesures font l'objet d'inspections régulières.

• Face à la surexploitation, la CEE a décidé d'une diminution drastique des TAC en 1992, par rapport à 1991.
Cela donne, pour les TAC des principales espèces (en tonnes) :

	1992	1991	Variation
Hareng :	554 870	575 900	− 3,6 %
Maquereau :	459 520	465 240	− 1,2 %
Merlan bleu :	265 500	477 500	− 44,4 %
Plie :	204 398	210 850	− 3,0 %
Cabillaud :	196 845	238 690	− 17,5 %
Merlan :	109 620	208 640	− 47,4 %

■ La coopération internationale

La Communauté a une compétence exclusive, en lieu et place des États-membres, pour négocier et conclure des accords internationaux en matière de pêche. Elle adhère à ce titre aux grandes organisations et conventions internationales de pêche qui visent à gérer et à protéger les ressources marines :

Convention	Date d'adhésion de la CEE
Convention sur les Pêcheries de l'Atlantique du Nord-Ouest	1978
Convention sur les Pêcheries de l'Atlantique du Nord-Est	1981
Convention pour la conservation du saumon de l'Atlantique-Nord	1982
Convention sur la pêche et les ressources vivantes de la Baltique et des Belts	1983
Convention pour la conservation des thonidés de l'Atlantique	1986

Elle a négocié également un certain nombre d'accords bilatéraux aménageant, soit avec certains pays un accès réciproque aux zones de pêche (Norvège, Suède, Iles Feroe, etc.), soit avec d'autres un accès aux zones de pêche de ces pays, moyennant certains avantages (Canada) ou en échange de compensations financières et d'aides scientifiques (Guinée-Bissau, Madagascar, Sao Tomé, Seychelles, Sénégal, etc.).
Enfin, elle encourage financièrement la création d'associations temporaires ou de sociétés mixtes entre ses pêcheurs et ceux de pays tiers, pour l'exploitation commune des eaux de ces derniers.

L'EUROPE PAR ÉTAPES
PASSER LES FRONTIÈRES
LES INSTITUTIONS
LES GRANDS ENJEUX
LA FORMATION
L'EUROPE ÉCONOMIQUE
TRAVAILLER EN EUROPE
L'EUROPE ET LE MONDE

Les régions d'Europe

Au sein de la Communauté, les disparités régionales sont fortes. Si l'on considère des régions d'importance à peu près équivalentes dans la CEE, on découvre que les écarts de Produit intérieur brut (PIB) vont de 1 dans la péninsule Ibérique à 1,85 dans le nord-est de l'Europe (RFA et Danemark). Les niveaux les plus faibles de revenu par habitant s'observent dans la périphérie nord-ouest et sud-est de la Communauté. Les régions dont la situation est la meilleure sont situées au nord.
S'ajoutent des différences importantes de structure des collectivités territoriales et locales européennes.

Tableaux comparatifs des structures des collectivités locales en Europe

Pays à 2 niveaux d'administration locale

Danemark	14 comtés Exceptions : Copenhague et Frederiksberg, à la fois département et commune	275 communes
Irlande	32 comtés dont 5 bourgs comtés	84 communes dont 6 bourgs 49 districts 30 municipalités
Pays-Bas	12 provinces	702 communes
Royaume-Uni	59 comtés	481 districts + 10 000 paroisses + 800 Community Councils (dépendant des districts)

Pays à 3 niveaux d'administration locale et à forte régionalisation ou fédéralisme

Belgique	3 régions + 3 communautés linguistiques	9 provinces	589 communes
Espagne	17 communautés autonomes	50 provinces	8 027 communes
Italie	20 régions (5 à statut spécial)	95 provinces	8 074 communes
RFA	8 Länder + 3 villes-États	328 kreise et villes assimilées	8 504 communes

Pays unitaires à 3 niveaux d'administration locale

| France | 26 régions | 100 départements | 36 627 communes |
| Grèce | 13 régions | 54 Nomoi | 6 034 communes |

Tableau comparatif des communes en Europe

Pays	Nombre de communes	Nombre moyen d'hab. par commune	Indice du nbre d'hab. par commune France = 1
Grande-Bretagne	481	118 100	78,3
Irlande	84	41 700	27,8
Portugal (1)	305	33 800	22,5
Danemark	275	18 500	12,3
Pays-Bas	702	20 800	13,9
Belgique	589	16 800	11,2
RFA	8 504	7 200	4,8
Italie	8 074	7 100	4,7
Espagne	8 027	4 900	3,3
Luxembourg	118	3 400	2,3
Grèce	6 034	1 700	1,1
France	36 627	1 500	1
Total	33 193	8 100	5,4

(1) Ce tableau ne prend en compte que les municipios.

Source : *Après-demain*, n° 314-315, mai-juin 1989.

LES RÉGIONS D'EUROPE ET LEUR PIB/HABITANT

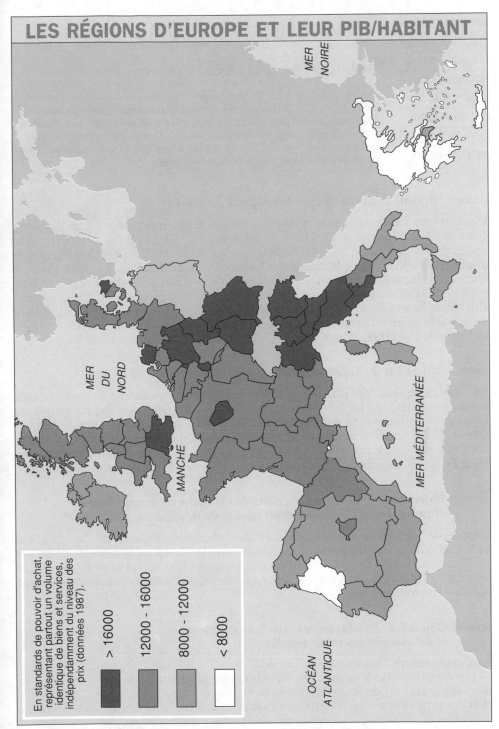

MER NOIRE

MER DU NORD

MANCHE

MER MÉDITERRANÉE

OCÉAN ATLANTIQUE

En standards de pouvoir d'achat, représentant partout un volume identique de biens et services, indépendamment du niveau des prix (données 1987).

> 16000

12000 - 16000

8000 - 12000

< 8000

Source : Commission européenne

L'EUROPE PAR ÉTAPES
PASSER LES FRONTIÈRES
LES INSTITUTIONS
LES GRANDS ENJEUX
LA FORMATION
L'EUROPE ÉCONOMIQUE
TRAVAILLER EN EUROPE
L'EUROPE ET LE MONDE

Aider les régions en difficulté (1)

Les instruments financiers de la Communauté, et notamment les fonds structurels, ont un rôle clef à jouer dans la réduction des disparités régionales en Europe. Dotés de moyens qui doivent doubler entre 1987 et 1993, leurs interventions sont concentrées sur cinq objectifs prioritaires.

Objectif n° 1 : développer les régions en retard

C'est de loin l'objectif le plus important puisqu'il devra regrouper plus des deux tiers des dotations financières et 80 % des aides du FEDER. Il concerne la totalité du territoire du Portugal, de l'Irlande et de la Grèce, certaines régions d'Espagne (du Sud et de l'Ouest), le Mezzogiorno italien, l'Irlande du Nord, les départements français d'Outre-mer et la Corse. Ces régions, dont le PIB par habitant est inférieur à 75 % de la moyenne communautaire, sont les plus pauvres de la Communauté. Elles bénéficient de programmes d'appui au développement qui couvrent notamment l'aide à l'investissement (investissements productifs, infrastructures, énergie), la formation professionnelle et la mise en valeur des ressources locales.

Objectif n° 2 : reconvertir les régions industrielles en déclin

Il s'agit des régions dont la richesse dans le passé était basée sur des industries maintenant en déclin, comme les charbonnages, la sidérurgie, la construction navale ou le textile. Ces zones sont nombreuses au Royaume-Uni, en France et en Belgique. Dans ces régions, l'intervention européenne a pour but la revitalisation du tissu économique par l'aide aux investissements productifs, la promotion d'un environnement favorable au développement de nouvelles activités, la formation professionnelle.

Objectifs n°s 3 et 4 : lutter contre le chômage de longue durée et promouvoir l'insertion professionnelle des jeunes

L'action de la Communauté se concentre sur les chômeurs de longue durée. Une attention particulière est accordée à l'insertion dans la vie active des jeunes de moins de 25 ans qui sont à la recherche d'un emploi après leur scolarité obligatoire. Les mesures cofinancées couvrent des actions de formation professionnelle débouchant sur des emplois stables.

Objectif n° 5 : adapter les structures agricoles et développer les zones rurales

La Communauté distingue deux volets :
— L'objectif 5A vise à adapter les structures de production, de transformation et de commercialisation dans l'agriculture et la sylviculture (exemples : modernisation des exploitations agricoles, encouragement à la mobilité des agriculteurs, etc.).
— L'objectif 5B sert à financer le développement des zones rurales en déclin.

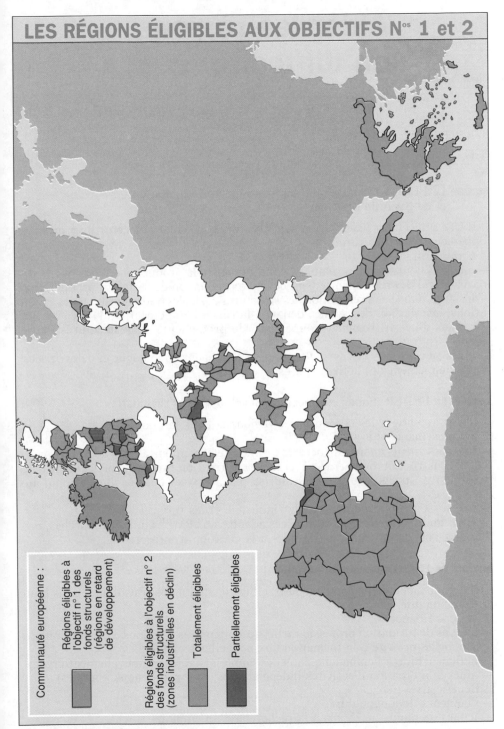

LES RÉGIONS ÉLIGIBLES AUX OBJECTIFS Nᵒˢ 1 et 2

Communauté européenne :

Régions éligibles à l'objectif n° 1 des fonds structurels (régions en retard de développement)

Régions éligibles à l'objectif n° 2 des fonds structurels (zones industrielles en déclin)

Totalement éligibles

Partiellement éligibles

L'EUROPE PAR ÉTAPES

PASSER LES FRONTIÈRES

LES INSTITUTIONS

LES GRANDS ENJEUX

LA FORMATION

L'EUROPE ÉCONOMIQUE

TRAVAILLER EN EUROPE

L'EUROPE ET LE MONDE

Aider les régions en difficulté (2)

Chaque instrument financier a sa propre finalité et ses propres domaines d'intervention.

▬▬▬ Le FEOGA Orientation (Fonds européen d'orientation et de garantie agricole)

☐ Il vise à accélérer l'adaptation des structures agricoles et à contribuer au développement des zones rurales.
☐ Actions financées :
— mesures contribuant à rétablir l'équilibre entre la production et la capacité des marchés (gel des terres, boisement des terres, abandon de certaines productions);
— mesures d'aide à la rénovation des structures agricoles (réorganisation des exploitations, installation des jeunes, départ à la retraite anticipée);
— projets d'investissement, groupements de producteurs, infrastructures touristiques;
— aides aux revenus des agriculteurs dans les zones de montagne et défavorisées;
— développement des activités forestières.

▬▬▬ Le FEDER (Fonds européen de développement régional)

☐ Il sert à corriger les déséquilibres régionaux dans la Communauté.
☐ Actions financées :
— investissements en infrastructures : routes, télécommunications, aéroports, voies d'eau, construction de barrages, centres de formation professionnelle, infrastructures de transports, équipements touristiques, services de conseil et d'appui aux entreprises;
— investissements productifs dans l'industrie et les services;
— aides au fonctionnement de services adaptés aux PME : études de marchés, projets de transfert de technologie, aides à la création d'entreprises.

▬▬▬ Le FSE (Fonds social européen)

☐ Il a pour tâche de promouvoir les facilités d'emploi des travailleurs dans toute la Communauté.
☐ Actions financées :
— actions de formation professionnelle, accompagnées d'actions d'orientation professionnelle (priorité à la formation aux nouvelles technologies);
— actions d'aide à l'embauche dans des emplois stables et nouvellement créés;
— aides à la création d'activités indépendantes (sauf professions libérales).
☐ Bénéficiaires :
— chômeurs de longue durée;
— jeunes de moins de 25 ans à la recherche d'un emploi.

■ Comment interviennent les fonds ?

• Les fonds structurels de la Communauté interviennent simultanément et de manière coordonnée sur les cinq objectifs prioritaires. Un même fonds peut donc servir à plusieurs politiques ou objectifs.

• Les procédures d'accès aux fonds européens sont identiques pour les cinq objectifs. Elles permettent un véritable dialogue entre la Commission européenne, les États-membres et les collectivités locales. La procédure se déroule en trois étapes :

1. Les plans : les États-membres expriment leurs besoins dans des plans de développement pluri-annuels (trois à cinq ans selon les objectifs). Ces plans sont élaborés en partenariat avec les autorités régionales et locales concernées.

2. Le cadre communautaire d'appui (le CCA) : c'est la réponse de la Commission européenne aux besoins exprimés par les États dans leurs plans. Le CCA est établi en accord avec l'État et la région concernée ; il comprend les axes prioritaires de l'intervention communautaire et une première indication des dépenses que la Communauté compte engager.

3. Les demandes de financement : il s'agit de la mise en œuvre pratique du CCA, principalement sous forme de cofinancement de programmes d'action pluri-annuels faisant intervenir plusieurs fonds et instruments financiers en même temps.

■ Allemagne : un nouveau départ pour les Länder de l'Est

La CEE a débloqué 3 milliards d'ECU (période 1991/1993) pour soutenir le développement social et économique des 5 Länder[1] de l'ex-allemagne de l'Est et d'y instaurer dès que possible une économie de marché.
Exemples de projets financés :
— le FEDER soutient un projet d'investissement de 60 millions de DM visant à rénover ce qui fut jadis une des premières chocolateries de l'ex-RDA, la Thüringer Schokoladenwerk à Saafeld (Saxe) ;
— le FSE soutient le recyclage de 50 cameramen et monteurs licenciés en 1991 par les studios DEFA à Potsdam (Saxe-Anhalt) ;
— le FEOGA soutient un projet de 60 millions de DM à la modernisation d'une usine de transformation de pommes de terre à Stravenhagen.

(1) Mecklenbourg-Poméranie occidentale, Saxe-Anhalt, Thuringe, Brandebourg et Saxe auxquels s'ajoute Berlin-Est.

■ Les prêts de la BEI

La Banque européenne d'investissement octroie des prêts aux taux du marché en faveur d'investissements dans les secteurs de la production et des infrastructures contribuant au développement économique des régions en difficulté. Elle finance également des projets destinés à encourager les PME ou le développement des petites infrastructures. Les promoteurs de projets n'ont pas besoin de passer par les États-membres, ils peuvent s'adresser directement à la BEI.

■ Les prêts CECA

La Communauté européenne du charbon et de l'acier octroie des prêts :
— aux charbonnages et à la sidérurgie afin de faciliter leur modernisation ainsi que la commercialisation de leurs produits ;
— aux investissements qui assurent le réemploi de la main-d'œuvre dans ces secteurs.

■ Le comité des régions

Créé par le traité de Maastricht, ce comité rendra un avis sur tous les dossiers intéressant les régions. Les collectivités régionales et locales seront ainsi plus étroitement associées à la définition des actions de politique régionale de la CE.

La politique européenne des transports

1. Les transports terrestres

Sans un réseau de transports bien organisé, la libre circulation des marchandises et des hommes au sein de la CEE est entravée ; les transports sont un service, dont la libre prestation doit être garantie sur tout le territoire communautaire. Les transports terrestres (route, chemins de fer et voies navigables) ont fait, les premiers, l'objet d'une réglementation communautaire.

Des règles de concurrence valables pour tous

☐ Les entreprises de transport, publiques comme privées, de la CEE, ne doivent pas se livrer à des pratiques anticoncurrentielles, telles que les ententes sur le partage de la clientèle ou des prestations supplémentaires imposées aux usagers.
☐ La Communauté agit également pour que les relations entre États et entreprises de transport soient les mêmes partout, afin de mettre ces entreprises sur un pied d'égalité. C'est ainsi que les États-membres ne peuvent plus imposer des obligations de service public à leurs entreprises de transport, sauf si elles sont indispensables pour assurer un service de transport suffisant. Elles ne peuvent, en outre, leur octroyer des aides que dans des conditions très réglementées, pour la promotion des transports combinés notamment (rail-route, route-voie navigable, etc.). La comptabilité et le calcul des coûts des entreprises de chemins de fer ont enfin été harmonisés.

Un libre accès à la profession et aux marchés

☐ Les transports sont, pour des impératifs de sécurité, une activité très réglementée, ouverte uniquement aux entreprises et aux personnes ayant apporté la preuve de leur compétence. La Communauté s'est efforcée d'harmoniser ces exigences d'un État-membre à l'autre : les qualifications professionnelles des transporteurs routiers et par voies navigables sont ainsi définies au niveau communautaire. Les diplômes et certificats sanctionnant ces qualifications sont mutuellement reconnus.
☐ Les limitations à l'exercice de la profession sont quasiment toutes tombées depuis le 1er janvier 1993 : un transporteur français peut, depuis le 1er juillet 1990, se livrer au « cabotage routier », c'est-à-dire transporter régulièrement des marchandises à l'intérieur du territoire allemand, par exemple.
☐ L'ancien système d'autorisations quantitatives, que les États-membres délivraient à leurs entreprises pour effectuer des transports au-delà de leurs frontières nationales, a été remplacé par un système de licence communautaire, octroyée à tout transporteur établi dans un État-membre et satisfaisant aux conditions réglementaires de qualification et de capacité financière et professionnelle en vigueur dans cet État.

LES TRANSPORTS AU SOL

■ Un marché fonctionnant sur les mêmes bases

Les règles de fonctionnement du marché des transports doivent être les mêmes dans tous les États-membres. Ce principe concerne en premier lieu la formation des prix, totalement libéralisée pour le transport des marchandises depuis le 1er janvier 1990.

L'autre volet important de la question réside dans l'harmonisation de la législation sociale et des conditions de travail applicables aux transports terrestres.

La législation communautaire est très avancée en matière de transports routiers dans la mesure où elle fixe, pour tous les États-membres, la composition des équipages, les temps de travail et de repos, les modes de rémunération interdits (ex. : au rendement kilométrique) et les méthodes de contrôle du respect de ces règles (notamment le fameux tachymètre installé sur tous les camions pour vérifier si le conducteur a bien respecté les temps de pause).

A terme, il est prévu d'instaurer un mécanisme communautaire de sauvegarde, donnant à la Commission des Communautés le pouvoir d'intervenir sur le marché des transports européens en cas de surcapacité, par des mesures de réduction de l'offre.

■ Les grandes infrastructures de transport européennes

Le traité de Maastricht prévoit que la Communauté contribuera « à l'établissement et au développement de réseaux transeuropéens dans les secteurs des infrastructures du transport... ». Des projets pourront ainsi être financés *via* un Fonds de cohésion, à créer avant la fin 1993. Sans attendre Maastricht, la Communauté a d'ores et déjà proposé un schéma directeur pour un réseau européen de TGV à l'horizon 2010, s'appuyant sur des « maillons clés » prioritaires, dont Lyon/Turin, Madrid/Barce- lone/Perpignan, liaison Rhin/Rhône, interconnexion Strasbourg/Sarrebourg.

■ Temps d'accès au départ de Paris par TGV à l'horizon 2015

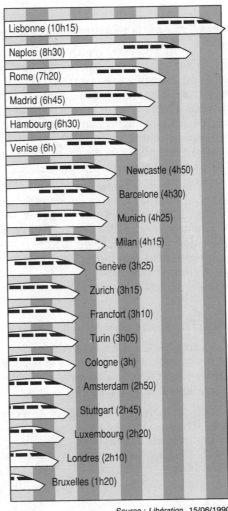

Lisbonne (10h15)
Naples (8h30)
Rome (7h20)
Madrid (6h45)
Hambourg (6h30)
Venise (6h)
Newcastle (4h50)
Barcelone (4h30)
Munich (4h25)
Milan (4h15)
Genève (3h25)
Zurich (3h15)
Francfort (3h10)
Turin (3h05)
Cologne (3h)
Amsterdam (2h50)
Stuttgart (2h45)
Luxembourg (2h20)
Londres (2h10)
Bruxelles (1h20)

Source : Libération, 15/06/1990.

59

La politique européenne des transports

2. Les transports maritimes et aériens

Assurer une réelle concurrence dans ces secteurs, encore fortement protégés par les réglementations nationales au bénéfice des consommateurs, constitue le défi majeur de la politique communautaire des transports maritime et aérien.

Transports maritimes : vers une flotte communautaire ?

☐ L'harmonisation des règles de concurrence a fait l'objet des premières mesures concernant le secteur. La CEE a en particulier réglementé les activités des « Conférences maritimes », organisations regroupant les compagnies pour gérer et planifier le trafic. Elle a imposé un régime d'encadrement des aides que les États-membres octroient à leurs chantiers navals. La CEE garantit la libre prestation de services de toutes les compagnies entre les ports des différents États-membres. Le cabotage (faculté de circuler d'un port à l'autre à l'intérieur d'un même État-membre pour un navire d'un autre État) est également possible depuis le 1er janvier 1993.

☐ Vis-à-vis des pays tiers, la CEE s'est dotée d'un règlement qui l'autorise à prendre des mesures de rétorsion si un pays tiers limite abusivement les droits de trafic océanique pour les navires communautaires. La Communauté se doit également de lutter contre la prolifération des pavillons de complaisance : de 1975 à 1988, les navires immatriculés dans les États-membres sont passés de 11 044 à 6 512, soit une diminution de capacité de 100,2 à 58,5 millions de TJB (Tonnes de jauge brute). La Commission des Communautés propose, en conséquence, la création d'une flotte battant pavillon communautaire. Les armateurs européens auraient ainsi la possibilité d'immatriculer leurs navires sous un registre commun, baptisé « Euros ».

Transports aériens : plus de dessertes, à meilleurs prix

☐ Les tarifs aériens : La Cour de justice des Communautés a, en 1984, condamné le gouvernement français pour avoir refusé d'homologuer les tarifs de « Nouvelles Frontières » qu'il jugeait trop bas : les tarifs réduits et super réduits (PEX ou APEX) que pratiquent aujourd'hui les compagnies découlent de cette jurisprudence.

☐ L'accès au marché : La capacité en sièges entre les compagnies aériennes est d'ores et déjà fixée au niveau communautaire, de même que les critères pour l'accès desdites compagnies aux liaisons régulières entre États-membres. Il est en outre prévu, courant 1993, de mettre en œuvre un système de désignation multiple (possibilité pour plusieurs compagnies d'exploiter la même ligne), d'autoriser les compagnies à pratiquer le cabotage aérien (possibilité d'exploiter des liaisons intérieures d'un autre État-membre) et, dans la limite de 50 % de leurs capacités, d'exploiter des liaisons entre les aéroports les plus importants d'États-membres autres que celui où elles sont établies.

LES TRANSPORTS PAR AIR

■ Eurocontrol

Eurocontrol est une organisation internationale créée en 1960, basée à Bruxelles, regroupant neuf pays européens : RFA, Belgique, France, Royaume-Uni, Luxembourg, Pays-Bas, Irlande, Portugal et Autriche. Elle assure la coordination de la recherche, des planifications nationales de trafic aérien et de la formation du personnel de contrôle. Elle effectue également des études et des recherches en matière de sécurité aérienne, prodigue des formations aéronautiques et définit des objectifs pour la navigation aérienne européenne. Eurocontrol aide enfin les pays qui y adhèrent à gérer leurs courants de trafic aérien. Face à l'accroissement du trafic aérien européen (il doublerait d'ici à l'an 2000), les risques de congestion des aéroports et d'accidents qui en résultent plaident pour un renforcement des pouvoirs d'Eurocontrol.

■ Les abus des surréservations

La CEE a voulu mettre un terme aux surréservations abusives pratiquées par les compagnies aériennes. Elle a adopté en conséquence un règlement contraignant les compagnies :
— à publier et diffuser auprès des voyageurs les règles qu'elles suivent en cas de surréservation ;
— à organiser un appel aux volontaires acceptant de prendre un autre vol ;
— à embarquer en priorité certaines catégories de passagers (ex. : handicapés, enfants non accompagnés) ;
— à offrir aux voyageurs lésés un certain nombre de services gratuits (hôtel, restauration, téléphone...) ;
— à donner aux passagers la possibilité de choisir entre le remboursement sans pénalité de leur billet ou un réacheminement dans les meilleures conditions possibles ;
— à indemniser dans tous les cas les voyageurs, proportionnellement au retard qu'ils auront subi.

■ Les grandes compagnies aériennes européennes

	Chiffre d'affaires *millions de $*	PKT [1] *millions*
British Airways (Royaume-Uni)	6 415	56 940
Lufthansa (RFA)	5 066	34 030
Air France	**3 979**	**34 330**
KLM (Pays-Bas)	2 705	23 270
SAS (Scandinavie)	2 453	14 030
Iberia (Espagne)	2 339	20 500
Swissair (Suisse)	2 203	14 320
Alitalia (Italie)	2 150	15 630
Sabena (Belgique)	946	6 530
Olympic Airways (Grèce)	702	7 530
UTA	**638**	**5 430**
TAP (Portugal)	557	5 640

(1) Passagers-kilomètres transportés.

Source : Libération, *13-14/01/1990*

L'Europe de l'automobile

L'automobile constitue de nos jours le moyen le plus couramment utilisé pour franchir les frontières, que ce soit pour des raisons privées ou pour des raisons professionnelles. Le marché de l'automobile est caractérisé par des différences de prix hors taxes importantes d'un État-membre à l'autre. Il est donc légitime que les citoyens de la CEE cherchent à acquérir une voiture à l'étranger.

▬▬ L'industrie automobile en Europe

L'industrie automobile revêt une grande importance pour les pays de la CEE. Elle emploie près de 9 % des salariés de l'industrie et représente 6 % de la valeur ajoutée manufacturée dans la CEE.

Avec 13,8 millions de véhicules produits en 1990, la CEE est le premier constructeur mondial devant le Japon (12,8 millions de véhicules en 1990) et les États-Unis (12,6 millions de véhicules).

▬▬ L'accord CEE-Japon

Les exportations de véhicules communautaires étaient de l'ordre de 1,7 million d'unités en 1990. Parallèlement, les exportations japonaises représentaient 11 % du marché européen (1,21 million de voitures vendues en CEE en 1990).

La CEE et le Japon ont conclu un accord dont l'objet est de limiter les importations de véhicules japonais sur le marché européen pendant une période de transition qui débutera le 1er janvier 1993 et s'achèvera le 1er janvier 2000, date de la libération complète des importations de voitures japonaises.

L'accord prévoit que le niveau des importations japonaises dans la CEE à la fin de la période de transition sera limité à 1,23 million de véhicules (soit 16 % du marché européen).

L'accord prend également en compte les « transplants », c'est-à-dire les voitures fabriquées par des entreprises japonaises implantées dans la CEE et destinées à être vendues dans la Communauté.

▬▬ Acheter une voiture dans un autre État-membre

Tout ressortissant communautaire peut acquérir une voiture dans le pays CEE de son choix, un concessionnaire n'a pas le droit de refuser la vente d'un véhicule pour des raisons de nationalité ou de pays de résidence. Il ne peut non plus imposer un délai de livraison trop long, un acompte exagéré ou une augmentation de prix injustifiée. Si la voiture est neuve, l'acheteur devra acquitter la TVA dans le pays d'immatriculation du véhicule.

Les concessionnaires agréés du constructeur du véhicule établis dans l'État d'importation n'ont pas le droit de refuser le service après-vente. La garantie du fabricant s'étend également à tous les garages de la marque concernée dans la CEE.

Les constructeurs européens appliqueront désormais des normes communes, ce qui rendra encore plus aisés les achats à l'étranger.

■ Le permis de conduire européen

• A partir de 1996, le permis de conduire obtenu dans un pays de la CEE sera d'emblée européen. En attendant, le permis de conduire national est valable pour se déplacer à travers toute la Communauté et pour tous les séjours à l'étranger de moins de trois mois.

• Lorsqu'un ressortissant communautaire s'installe dans un autre État-membre, il peut conduire dans cet État tout véhicule, quel que soit l'État d'immatriculation du véhicule. Toutefois, avant l'expiration d'un délai d'un an, il devra demander l'échange de son permis de conduire contre un permis de l'État de résidence.

• Depuis le 1er janvier 1986, les permis de conduire délivrés par les États-membres doivent être conformes à un modèle communautaire (c'est-à-dire de format standard). Le permis «modèle communautaire» est valable partout sans limitation de durée. Il n'est pas délivré en Belgique, en Irlande, au Royaume-Uni, en Espagne et au Portugal.

■ L'assurance automobile

L'assurance de la responsabilité civile automobile est obligatoire dans tous les pays de la CEE. Cette garantie globale permet la suppression du contrôle de la carte d'assurance dans tous les États-membres. Un tel contrôle est devenu d'autant plus inutile que chaque bureau national d'assurance-auto garantit le règlement des sinistres provoqués par les véhicules immatriculés dans l'un quelconque des États-membres.

Cette garantie des bureaux nationaux facilite le dédommagement des victimes d'accidents provoqués par des visiteurs. Les victimes ne doivent plus engager une procédure à l'étranger, mais peuvent s'adresser directement à leur bureau national d'assurance-auto qui réglera le sinistre avec le bureau du pays d'immatriculation de la voiture responsable.

Il faut noter que, à partir de 1993, tous les assureurs devront accorder leur garantie aux assurés sur l'ensemble du territoire communautaire, à partir du versement d'une seule prime d'assurance.

■ Les dix premiers en Europe

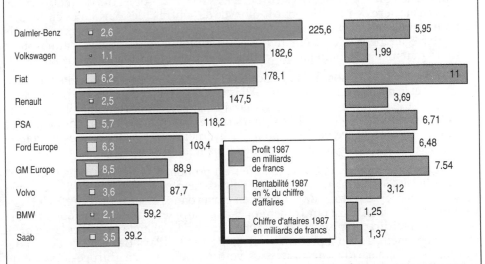

	Profit 1987 en milliards de francs	Chiffre d'affaires 1987 en milliards de francs	Rentabilité 1987 en % du chiffre d'affaires
Daimler-Benz	2,6	225,6	5,95
Volkswagen	1,1	182,6	1,99
Fiat	6,2	178,1	11
Renault	2,5	147,5	3,69
PSA	5,7	118,2	6,71
Ford Europe	6,3	103,4	6,48
GM Europe	8,5	88,9	7.54
Volvo	3,6	87,7	3,12
BMW	2,1	59,2	1,25
Saab	3,5	39.2	1,37

Le Nouvel Économiste, 29 septembre 1989.

L'EUROPE PAR ÉTAPES
PASSER LES FRONTIÈRES
LES INSTITUTIONS
LES GRANDS ENJEUX
LA FORMATION
L'EUROPE ÉCONOMIQUE
TRAVAILLER EN EUROPE
L'EUROPE ET LE MONDE

La politique de l'environnement

Comme l'a tristement rappelé la catastrophe de Tchernobyl, la pollution ne connaît pas les frontières. La Communauté a bien compris la nécessité d'une politique exigeante en matière de protection de l'environnement : elle a déclaré l'année 1987 « Année européenne de l'environnement ». Depuis lors, toute décision communautaire, quel qu'en soit l'objectif, doit satisfaire au principe du respect de l'environnement.

La pollution des eaux

☐ La Communauté a fixé des objectifs et des normes de qualité pour les eaux de baignade, les eaux douces aptes à la vie des poissons et les eaux potables. Un régime d'autorisation préalable et la fixation de limites quantitatives régissent déjà le déversement des substances dangereuses reprises sur une liste « noire » ou « grise » selon leur toxicité. Des valeurs limites ont en particulier été fixées pour les rejets de mercure et de cadmium en milieu aquatique.

☐ Une série de textes prévoient le contrôle et la réduction graduelle des rejets de dioxyde de titane générateurs des fameuses « boues rouges ».

☐ À ces mesures législatives s'ajoutent des procédures communautaires d'échanges d'informations permettant une intervention rapide en cas de pollution causée par les déversements en mer d'hydrocarbures.

La pollution de l'air

☐ **Qualité de l'air** : des directives européennes fixent des objectifs de qualité et des limites en matière de pollution par le dioxyde de soufre et les particules en suspension qui ont des effets particulièrement nocifs sur le système cardiovasculaire. Un texte fixe également une valeur limite pour le plomb contenu dans l'atmosphère (2 microgrammes de plomb par m³ exprimés en concentration moyenne annuelle).

☐ **Pluies acides** : en raison de la menace qu'elles représentent pour la santé humaine, les forêts et le patrimoine architectural, les Douze ont introduit des normes sévères pour réduire la pollution causée par les gaz d'échappement des automobiles de petite cylindrée (moins de 1,4 litre). Les valeurs limites pour la réduction des émissions gazeuses sont de l'ordre de 58 % pour les hydrocarbures et les oxydes d'azote et de 48 % pour le monoxyde d'azote. Elles s'appliquent dès 1991.

☐ **Essence sans plomb** : la Communauté s'est prononcée pour l'introduction généralisée de l'essence sans plomb dans les États-membres à partir de 1989 et il est prévu de ramener le plafond de la teneur en plomb dans l'essence de 0,40 g/l à 0,15 g/l. En juillet 1987, les Douze ont franchi une étape supplémentaire en se conférant le pouvoir d'interdire la mise sur le marché dans les États-membres d'essence ordinaire avec plomb. Jusqu'à présent, seuls la RFA et les Pays-Bas ont usé de ce pouvoir mais il faut savoir que toutes les voitures vendues en Europe à partir du 1er janvier 1993 rouleront à l'essence sans plomb. Elles devront être équipées de pots d'échappement catalytiques.

POINTS DE REPÈRE

◼ Mieux contrôler les produits chimiques

Depuis le 18 septembre 1981, toutes les substances chimiques doivent être contrôlées avant leur mise sur le marché communautaire. Parallèlement, la Communauté procède à la classification et à l'étiquetage des produits chimiques qui étaient déjà sur le marché avant le 18 septembre 1981. L'examen de toutes ces substances prendra encore plusieurs années.

Des dispositions communautaires ont également été prises, à la suite de l'accident de Seveso (Italie), afin de prévenir les risques d'accidents majeurs provoqués par certaines activités industrielles.

◼ Protéger la couche d'ozone

La Communauté a également limité l'emploi de certaines préparations dangereuses telles que les chlorofluorocarbones ou CFC. Les CFC, utilisés dans les aérosols et les grandes installations de réfrigération, attaquent la couche d'ozone qui nous protège des rayons ultraviolets. En avril 1989, la Commission européenne a conclu un accord avec les fabricants européens d'aérosols en vue de réduire de 50 % les CFC utilisés dans les aérosols.

◼ Pollueur = payeur

Les Douze ont retenu le principe du pollueur-payeur comme pilier de la politique communautaire de l'environnement.

◼ La gestion des déchets

La CEE produit 6 millions de tonnes de déchets municipaux et industriels par jour. Un tiers seulement est actuellement recyclé et permet la récupération de matières réutilisables (métaux, verre, papier) et la production de sources d'énergie alternatives. Le transfert transfrontalier des déchets est soumis à des procédures de contrôle et à un régime de notification préalable.

◼ Un label écologique Europe

Dès 1993, un label écologique unique récompensera les produits ne dégradant pas l'environnement durant leur cycle de vie (des matières premières jusqu'à l'élimination, en passant par le mode de production et l'emballage) ; il sera symbolisé par une fleur en forme de E entouré de douze étoiles, sur une tige portant quatre feuilles. Le label sera attribué par l'organisme national compétent du pays de fabrication ou d'importation, selon des critères européens.

◼ Les Verts au Parlement européen

Les dernières élections européennes de juin 1989 ont été marquées par une nette progression des écologistes dans tous les pays-membres de la Communauté et surtout en France, en Allemagne, et en Italie. Ce succès électoral leur a permis une entrée en force au Parlement européen où ils ont pu constituer un groupe parlementaire autonome : « Les Verts au Parlement européen ». Ils ont même réussi à obtenir la présidence de la Commission de la politique régionale du Parlement européen en la personne de M. Antoine Waechter. Le groupe des Verts au Parlement européen comprend 31 députés : 9 Français, 8 Verts allemands (les fameux Grünen), 7 Italiens, 3 Belges, 2 Néerlandais, 1 Espagnol, 1 Portugais.

◼ Après Tchernobyl

Le nuage radioactif de Tchernobyl a contaminé une série de produits agricoles destinés à la consommation humaine. Dans les semaines qui ont suivi l'accident, la Communauté a adopté un règlement qui fixe les niveaux maximaux de contamination des denrées alimentaires. Les limites fixées sont par exemple de 370 becquerels/kg [1], pour les produits laitiers et les aliments pour nourrissons, et de 600 becquerels/kg pour les autres produits alimentaires.

Depuis l'accident de Tchernobyl, la CEE a mis en place des systèmes d'échange rapide d'informations en cas d'urgence radiologique, tant sur le plan mondial que communautaire.

(1) becquerel : unité d'activité radioactive correspondant à 37 milliards de désintégration par seconde (obtenues avec 1 g de radium).

L'Europe des chercheurs

La Communauté est distancée par les États-Unis et le Japon dans le domaine des industries de haute technologie à croissance rapide — notamment pour les produits électriques et électroniques, les machines de bureau et les technologies de l'information. La coopération européenne dans le domaine de la recherche et de la technologie est une nécessité impérative afin de doter l'industrie européenne des technologies de base qui lui permettront d'affronter la concurrence des années 90.

Des programmes-cadre de recherche et de développement technologique ont été lancés. L'objectif est de créer un véritable « espace scientifique et technique européen » en encourageant les entreprises, les laboratoires et les universités dans leur effort de recherche et en soutenant leurs projets de coopération. Après un premier programme-cadre communautaire de recherche et de développement technologique (1987-1990), les Douze ont lancé un nouveau programme pour une durée de cinq ans (1990-1994). Doté de 40 milliards de francs, il couvre plusieurs domaines d'action :

Technologies de l'information et de la communication

Cette ligne d'action est stratégique (40 % des ressources du programme-cadre). Elle consiste en des programmes de recherche dans la micro-électronique de pointe, la bureautique, la robotique, l'informatique, les télécommunications et le développement de systèmes télématiques d'intérêt général.

Technologies industrielles et des matériaux

— application des nouvelles technologies dans l'industrie ;
— technologies des matériaux avancés (nouveaux alliages).

Environnement

— identification des sources de pollution et de leurs effets sur l'environnement ;
— recherche océanographique, sous-marine, études sur les techniques de pêche et d'aquaculture.

Sciences et technologies du vivant

— amélioration de la qualité des produits agricoles et sylvicoles ;
— coopération dans le domaine de la recherche contre le cancer, le sida, les maladies cardiovasculaires et le vieillissement ;
— coopération entre scientifiques européens et ceux des pays en voie de développement dans le domaine de l'agriculture et de la médecine tropicale.

Énergie

— énergie nucléaire de fission et fusion thermonucléaire contrôlée ;
— énergies non nucléaires (énergie solaire, éolienne, géothermique).

Mobilité et formation des chercheurs

Pour faciliter la mobilité des chercheurs européens, la CEE octroie des bourses de recherche permettant à des chercheurs de séjourner dans des laboratoires étrangers pendant des périodes pouvant aller jusqu'à trois ans. Elle organise des jumelages de laboratoires.

■ Des programmes communautaires spécifiques

Le programme-cadre de R & D, en déterminant les objectifs, les priorités, le budget global de l'action communautaire et sa répartition par grands thèmes, constitue un «guide» pour l'adoption de programmes spécifiques à mener durant les cinq années couvertes.

— ESPRIT (European Strategic Programm for Research and Development in Information Technology) est sans doute le plus important. Il permet la mise en commun des recherches appliquées dans le domaine des technologies de l'information et de la communication (composants électroniques de pointe, circuits intégrés, matériaux semi-conducteurs, informatique, bureautique, robotique). ESPRIT a mobilisé 3 000 chercheurs entre 1984 et 1988. Il a permis de financer 225 projets impliquant au total 450 partenaires différents. Il a ainsi fourni aux industriels et aux chercheurs européens l'occasion de mieux se connaître et d'apprendre à travailler ensemble.

Mais d'autres programmes spécifiques ont été adoptés, citons en particulier :
— DELTA dans le domaine des technologies d'enseignement par ordinateur ;
— BRITE qui vise l'application des technologies telles que le laser dans les industries traditionnelles (automobile, textile, etc.) ;
— AIM qui concerne la recherche dans le domaine de la bio-informatique et de l'informatique médicale ;
— DRIVE dans le domaine de la sécurité des véhicules.

■ Quelle forme prend la coopération ?

La forme la plus courante que prend la recherche communautaire est la recherche à frais partagés ou recherche «sous contrat». La Commission prend en charge 50 % des frais de travaux de recherche menés par les centres de recherche, les universités et les entreprises.

Les projets développés dans le cadre des programmes communautaires de R & D portent sur la recherche «préconcurrentielle» (entre la découverte scientifique et le produit commercialisable). Ils doivent obligatoirement impliquer deux partenaires indépendants représentant au moins deux pays de la CEE.

■ Eureka

Pour répondre au défi de l'IDS (Initiative de défense stratégique) américaine, le président de la République française, François Mitterrand, a lancé en 1985 le projet EUREKA.

L'**objectif** d'EUREKA est la maîtrise de l'exploitation des technologies nouvelles en Europe, tant dans les secteurs public que privé.

Son **originalité** est d'associer, outre les douze États-membres de la CEE, la Suède, la Norvège, la Finlande, l'Autriche, la Suisse, la Turquie et la Commission européenne en tant que telle. Il permet ainsi à 18 pays d'accroître leur compétitivité en renforçant la coopération entre leurs entreprises et leurs laboratoires de recherche.

Les **domaines** visés sont les suivants ; les technologies de l'information et des télécommunications, la robotique, les matériaux, les techniques d'assemblage, la biotechnologie, la conquête du milieu marin, le laser, la protection de l'environnement, les nouveaux moyens de transport.

Les **projets** EUREKA doivent permettre la coopération entre entreprises ou instituts de recherche de plus d'un pays européen mais, contrairement aux projets menés dans le cadre des programmes communautaires de recherche, les projets EUREKA doivent permettre l'obtention de produits commercialisables.

Après quatre ans de fonctionnement, EUREKA a approuvé 213 projets auxquels participent 800 entreprises et centres de recherche européens et a réussi à dégager 33 milliards de francs pour les mener à bien.

La politique européenne de l'énergie

Le traité de Paris ayant fondé la Communauté européenne du charbon et de l'acier (CECA), et le traité Euratom sont à la base de la politique européenne de l'énergie. Cette politique a porté ses fruits, dans la mesure où la CEE connaît aujourd'hui un taux de dépendance énergétique de moins de 45 %, contre près de 60 % en 1975.

Les objectifs énergétiques à l'horizon 1995

La Communauté s'est dotée en 1986 d'un plan fixant ses objectifs énergétiques pour l'horizon 1995 :
• Utilisation plus efficace de l'énergie dans tous les secteurs et exploration de toutes les possibilités d'économies d'énergie (un programme d'encouragement à une utilisation plus rationnelle de l'énergie, SAVE, a été lancé en 1991). Le rendement de la demande finale d'énergie (rapport entre la demande d'énergie et le PIB) devrait être amélioré de 20 %.
• Limitation de la consommation de pétrole à 40 % de la consommation énergétique totale, et de la production d'électricité à partir des hydrocarbures à 15 % de la production totale.
• Soutien à la consommation de combustibles solides et amélioration de leurs conditions de production.
• Maintien de la part du gaz naturel par la diversification des sources d'approvisionnement et l'intensification de la prospection.
• Optimisation des conditions de production et de sécurité des centrales nucléaires.
• Promotion des énergies nouvelles et renouvelables par un programme spécifique, ALTEMER, qui vise à faire passer leur part de 4 % en 1991 à 8 % en 2005.
• Le respect de l'environnement complète ces objectifs. Une taxe européenne sur l'émission de gaz carbonique (CO_2) par les différentes sources d'énergie est à l'étude.
• La Communauté a également pris l'initiative d'une Charte européenne de l'énergie, reprenant largement les objectifs 1995, qui a été signée par 38 pays européens à La Haye en décembre 1991.

Vers un marché sans frontières de l'énergie

L'énergie est une marchandise qui ne doit pas échapper à l'ouverture des frontières. Le commerce intra-communautaire du gaz naturel et de l'électricité a fait l'objet d'un plan en plusieurs phases devant conduire, en 1996, aux résultats suivants :
— assurer un libre transit de l'électricité et du gaz entre États-membres et garantir la transparence de leur prix ;
— mettre fin aux droits exclusifs des entreprises nationales de production et de distribution (ex. : EDF), et permettre la séparation de leurs activités entre plusieurs entreprises ;
— libéraliser la construction des gazoducs et des lignes électriques.

POINTS DE REPÈRE

■ L'énergie atomique

Le traité Euratom de 1957 visait au développement de l'énergie nucléaire par le développement de la recherche, l'établissement de normes de sécurité uniformes pour la protection des travailleurs du nucléaire et de la population, la promotion d'investissements communs et l'approvisionnement régulier des États-membres en matières fissiles (une agence d'approvisionnement commune a été créée). Il n'a connu qu'un succès relatif. L'accident de Tchernobyl, en 1986, a toutefois relancé ses dispositions tenant à la sécurité. Des normes maximales de radioactivité dans les aliments ont été définies, de même que des procédures d'assistance mutuelle entre les États-membres et d'information des populations sur les mesures de protection à prendre en cas d'urgence radiologique.

■ La recherche énergétique

L'énergie constitue un important volet des programmes communautaires de recherche. Les problèmes de sécurité nucléaire (télémanipulation en milieu radioactif, déclassement des centrales obsolètes, sécurité des réacteurs, traitement des déchets) font l'objet d'un programme doté de 137 millions d'ECU pour la période 1990-1994. Le programme Jet vise, lui, à mettre au point un réacteur de fusion thermonucléaire contrôlée. Pour la première fois au monde, en 1991, une production de 2 mégawatts de puissance a été obtenue par la fusion, par les équipes scientifiques communautaires. Le programme non nucléaire, doté de 157 millions d'ECU sur la période 1990/94, est consacré au développement des énergies nouvelles et renouvelables, à la réduction de la dépendance vis-à-vis des hydrocarbures, à l'utilisation plus rationnelle de l'énergie et à la lutte contre la pollution (ex. : effet de serre).

■ La consommation d'énergie par habitant

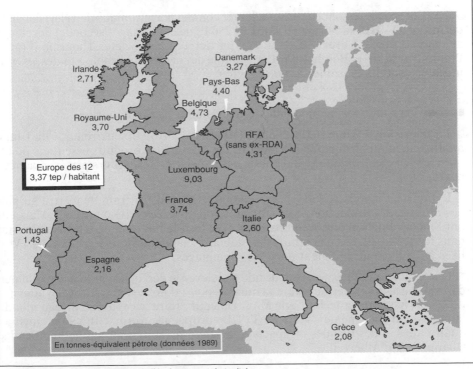

Irlande 2,71
Danemark 3,27
Pays-Bas 4,40
Belgique 4,73
Royaume-Uni 3,70
RFA (sans ex-RDA) 4,31
Europe des 12 3,37 tep / habitant
Luxembourg 9,03
France 3,74
Italie 2,60
Portugal 1,43
Espagne 2,16
Grèce 2,08
En tonnes-équivalent pétrole (données 1989)

Source : Ministère de l'Industrie et de l'Aménagement du territoire.
Statistiques de base de la Communauté, EUROSTAT, éd. 1991.

La télévision sans frontières

Dans un secteur longtemps dominé par les monopoles nationaux, l'ouverture des frontières place la Communauté devant un double défi. Un défi technique : les nouvelles générations de satellites de télévision permettront de diffuser et de capter simultanément des programmes dans toute l'Europe. Cette évolution implique que les Douze harmonisent leurs normes techniques et mettent en place un marché unique de la télévision. Mais la Communauté doit aussi relever un défi culturel : actuellement, 70 % des émissions diffusées sur les écrans des Douze proviennent des États-Unis, du Japon et du Brésil.

Une norme européenne de télévision

☐ Les Douze se sont engagés à utiliser, jusqu'en 1991, les systèmes techniques relevant de la famille des normes européennes MAC-PAQUETS tant pour la diffusion directe par satellite de programmes TV que pour la redistribution de ces programmes sur les réseaux câblés. Ces normes, compatibles entre elles, mettront fin à la division du marché européen, apparue avec la TV couleur dans les années 60, entre système SECAM (France) et PAL (autres pays européens).

☐ Les Européens se sont engagés à adopter comme norme unique de Télévision haute définition (TVHD) la norme HD-MAC (1 250 lignes, 50 images/seconde) développée au sein du projet Eureka 95 — auquel participent les sociétés Thomson (France), Philips (Pays-Bas) et Bosch (RFA). Cette norme devra être applicable à toutes les transmissions (satellites, câbles, cryptées, etc.).

Vers une norme mondiale de télévision à haute définition

☐ La télévision à haute définition (TVHD) est l'équivalent électronique du film de qualité cinématographique. Elle devrait devenir un des produits essentiels pour le marché de l'électronique grand public des années 90 (téléviseurs privés, magnétoscopes, etc.).

☐ L'industrie japonaise (Sony) et la chaîne NHK sont en train de mettre au point des normes de production et de transmission appelées NHK et MUSE. Mais elles ont l'inconvénient d'être incompatibles avec tout le matériel de télévision existant dans le monde. En cas d'adoption des standards japonais, tous les appareils TV utilisés actuellement devraient donc être remplacés.

☐ Les techniciens européens ont décidé de relever le défi et travaillent actuellement, dans le cadre du projet Eureka, à la mise au point d'un système européen alternatif de TVHD basé sur la technologie MAC. Objectif : faire accepter au niveau mondial la norme européenne de TVHD. La TVHD européenne (format 16×9 du cinéma et qualité de son des disques compacts) a déjà été présentée au public lors des jeux Olympiques d'Albertville.

■ La multiplication des canaux TV

En 1995, le nombre des canaux disponibles en Europe sur les satellites de TV directe (antenne individuelle) sera de l'ordre de 130 à 140. Parallèlement, les satellites de télécommunication (émissions rediffusées par voie hertzienne ou par câble) offriront 200 canaux aptes à diffuser des programmes TV. Encore faut-il permettre à l'industrie audiovisuelle européenne de suivre cette demande, sans quoi le terrain risque d'être occupé par les productions en provenance des pays tiers. En vue de promouvoir les œuvres audiovisuelles européennes, la Commission européenne a lancé le programme Media.

■ Le programme «Media 95»

• L'objectif : stimuler le financement, la réalisation et la distribution de productions et de coproductions européennes de cinéma et de télévision.
• Le principe : Media permet une étroite collaboration entre les professionnels européens de l'industrie audiovisuelle : cinéma, télévision, vidéo, satellite, câble. Plusieurs projets pilotes ont été lancés avec la participation de 2 000 sociétés et organismes professionnels.
• Trois pôles d'action :
— la distribution (aide au doublage et au sous-titrage d'émissions),
— la production (aide à l'écriture de scénarios),
— la formation professionnelle aux métiers de l'audiovisuel.

■ La chaîne «Euronews»

La chaîne européenne d'information par satellite Euronews a été lancée le 01.01.1993. Elle diffuse des programmes d'information des 39 chaînes de service public membres de l'Union européenne de radiodiffusion, et touche l'ensemble de l'Europe (y compris les pays de l'Est) ainsi que les pays méditerranéens. Basée à Lyon, Euronews diffusera dans un pre-mier temps en français, en anglais, en allemand, en italien et en espagnol.

■ Un «Eureka» de l'audiovisuel

26 États européens (les Douze plus les pays du Conseil de l'Europe) ont lancé officiellement le projet d'un Eureka de l'audiovisuel le 1er octobre 1989, à l'issue des Assises européennes de l'audiovisuel qui se sont tenues à Paris.
Objectif : favoriser l'émergence d'une industrie audiovisuelle européenne.
Eureka de l'audiovisuel devrait permettre le lancement de projets concrets de coopération européenne, la distribution la plus large possible des produits audiovisuels européens ainsi que la promotion de la télévision à haute définition (TVHD).

■ La directive «Télévision sans frontières»

• Les Douze ont adopté la directive européenne sur la télévision sans frontières. Cette directive permet, depuis 1991, la libre circulation des programmes télévisés dans toute la CEE. La directive fixe des disciplines à respecter en matière de publicité (15 % du temps d'antenne quotidien au maximum pour les publicités contenues dans les programmes des autres États-membres).
• Elle prévoit également des règles communes concernant l'interruption des programmes par la publicité (une coupure par périodes de 45 minutes), le parrainage, l'interdiction des publicités sur le tabac, la protection de la jeunesse, en limitant les émissions à caractère violent et/ou pornographique.
• La directive «TV sans frontières» recommande la diffusion majoritaire d'œuvres européennes (50 %) par les chaînes de télévision de la Communauté, sans fixer de quotas contraignants pour les télédiffuseurs. Son adoption a provoqué la colère des créateurs et des milieux audiovisuels européens qui souhaitaient que 60 % du temps d'antenne de chaque chaîne soit obligatoirement réservé à la diffusion d'œuvres européennes.

Les télécommunications et l'Europe

Le secteur des télécommunications représentera 7 % du PIB de la Communauté en l'an 2000, contre 3 % aujourd'hui. Son intégration dans le grand marché est donc indispensable. Elle passe par l'ouverture à la concurrence et par une réponse commune des Douze aux défis technologiques qui bouleversent ce secteur vital.

La fin des monopoles

Les télécommunications étaient traditionnellement, dans les États-membres, confiées à l'administration ou à des entreprises bénéficiant de droits exclusifs ou spéciaux d'exploitation. Cette situation étant incompatible avec l'ouverture des frontières, la Communauté s'est lancée dans une politique de mise en concurrence de toutes les entreprises du secteur, dans la limite indispensable du respect de l'intégrité physique des réseaux d'exploitation. Ils continueront d'être soumis à un contrôle des États, la Communauté en ayant néanmoins harmonisé les conditions d'accès : interfaces techniques, accès aux fréquences, tarification, etc. Concrètement, tout fournisseur, public ou privé, national ou issu d'un autre État-membre, peut proposer, depuis juillet 1990, des équipements et pourra, à partir de 1993, offrir des services de télécommunications, aptes à fonctionner sur les réseaux existants, sur tout le territoire communautaire.

Vers un réseau européen de télécommunications

Au-delà de la suppression des monopoles, il faut construire un véritable réseau européen de télécommunications. La normalisation et la reconnaissance mutuelle et totale des équipements, programmées depuis novembre 1992, sont indispensables. A cette fin, l'Institut européen de normalisation des télécommunications, installé à Sophia-Antipolis, assiste la Communauté et veille à ce que les nouveaux moyens de télécommunications tels que le Réseau numérique à intégration des services (RNIS), les liaisons à grande vitesse de télécommunications ou le téléphone mobile soient développés de façon harmonieuse et coordonnée dans les États-membres.

Une recherche communautaire des télécommunications

La recherche sur les télécommunications occupe une place de choix dans le programme-cadre communautaire de recherche et de développement technologique : 2 846 millions d'ECU y seront consacrés durant la période 1990/94, essentiellement à trois objectifs :
— la mise au point des technologies et des normes nécessaires à un futur réseau européen intégré à large bande ;
— la poursuite du développement des technologies de l'information, étroitement lié aux problèmes de télécommunications ;
— la mise sur pied de systèmes télématiques d'intérêt général (échanges d'informations entre administrations nationales, entre bibliothèques, éducation et formation à distance, transport...).

■ Un minitel européen ?

Le développement de la télématique grand public en France (plus de 5 millions de minitels) fait figure d'exception en Europe. Dans les autres pays européens, la télématique est généralement réservée à un petit nombre d'usagers professionnels.

La mise en place de « passerelles » permet d'interconnecter les réseaux, fonctionnant pourtant sur des normes différentes (3 normes vidéotex se disputent le marché ; la norme britannique, Prestel, la norme allemande, Bildschirm-text, et la norme française, Télétel). Il existe d'ores et déjà de telles passerelles entre la France, la RFA, la Belgique, l'Italie, le Luxembourg, le Portugal et la Finlande. La Conférence européenne des Postes et Télécommunications (CEPT) a adopté, en mars 1990, une convention pour intensifier ces interconnexions.

Enfin, un projet concret mérite d'être relevé : le service Ovide, mis au point par le Parlement européen, qui diffuse des informations en quatre langues, à destination des réseaux télématiques de chaque État-membre.

■ Les télécommunications
Perspectives à l'an 2000

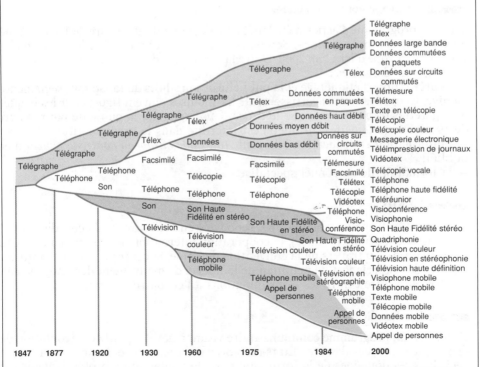

Source : Livre vert sur les télécommunications en Europe, p. 9. Commission des Communautés, 1987.

L'Europe de la santé

Les problèmes de santé ont une relation étroite avec la construction du marché intérieur : un État-membre peut invoquer la protection de sa santé publique pour s'opposer à l'entrée sur son territoire de marchandises qu'il estime dangereuses. D'où la nécessité de se doter d'exigences minimales communes en la matière. En outre, il est clair que la mise en commun des moyens pour lutter contre certaines maladies est indispensable.

▰▰▰ La recherche

Le nouveau programme-cadre de la Communauté en matière de recherche et de développement technologique (1990/94) comporte un important volet santé, doté de 133 millions d'ECU, consacrés à quatre thèmes : la coordination des recherches sur les systèmes de soins et de prévention, les maladies et problèmes de santé ayant un impact socio-économique majeur (ex. : cancer, SIDA, problèmes de santé liés au vieillissement de la population, problèmes de santé liés à l'environnement et aux modes de vie), l'analyse du génome humain, l'éthique biomédicale.

▰▰▰ L'Europe contre le cancer

Un vaste programme d'action a été lancé en 1986, qui a abouti à faire de 1989 l'« Année européenne contre le cancer ». Son objectif est de réduire de 15 % les décès dus au cancer en Europe d'ici à l'an 2000. Outre la recherche, déjà mentionnée, il se concentre sur trois domaines :
— la prévention : l'étiquetage et la publicité des produits du tabac sont réglementés au niveau européen : des avertissements harmonisés doivent figurer sur les paquets de cigarettes (« fumer provoque le cancer » notamment), la publicité pour les produits dérivés (allumettes, briquets) est interdite dans la presse écrite ;
— l'information et l'éducation à la santé (un *Code européen contre le cancer* a été publié) ;
— la formation de personnel spécialisé.

▰▰▰ Le SIDA

Un plan de lutte a été établi en 1987, renouvelé en 1991, axé sur la coordination de la recherche (déjà mentionnée), la coopération internationale, notamment avec les pays africains, au travers de la convention de Lomé, la centralisation des informations et des expériences, le maintien de la liberté de mouvement des citoyens dans la CEE et la lutte contre les discriminations à l'encontre des malades.

▰▰▰ Les handicapés

Hélios est un programme communautaire visant à développer la confrontation des expériences menées dans les États-membres et la naissance de projets pilotes, et ceci dans les domaines de la formation et de la réadaptation professionnelles, de l'intégration économique et sociale des handicapés. Toutes ces expériences sont centralisées et rendues accessibles par une base de données baptisée Handynet.

■ Se soigner dans un autre État-membre

Il est possible de se faire soigner et prendre en charge socialement dans un autre État-membre dans plusieurs cas :

— Si l'on se trouve temporairement à l'étranger (ex. : en vacances) et qu'on y tombe malade. Pour bénéficier des prestations, il faut se munir, auprès de son organisme de Sécurité sociale, d'un formulaire E 111, que l'on présentera à l'organisme de Sécurité sociale de l'État-membre de séjour.

— Si l'on désire bénéficier d'un traitement qui ne se pratique que dans un autre État-membre. On doit au préalable se procurer un formulaire E 112 auprès de son organisme de Sécurité sociale. Ce formulaire pourra être refusé si le traitement envisagé n'est pas couvert par la législation sociale française, où s'il peut être prodigué en France dans des délais jugés raisonnables.

— Si l'on est installé dans un autre État-membre : on peut s'inscrire à la Sécurité sociale de cet État, et bénéficier, ainsi que sa famille, de toutes les prestations en vigueur en matière d'assurance-maladie.

— Les travailleurs frontaliers, vivant régulièrement ou constamment dans un État autre que celui où ils sont assurés, peuvent bénéficier des prestations de cet État, sous réserve de se procurer un formulaire E 106 (même procédure et même couverture que pour le E 111 ci-dessus).

■ La législation communautaire sur les médicaments

La CEE a de longue date entrepris un vaste effort d'harmonisation de la législation pharmaceutique, en vue d'assurer un libre accès de tous aux médicaments. En voici les principales étapes :

1965
Procédure unique pour les Autorisations de mise sur le marché (AMM) des spécialités pharmaceutiques.

1975
Harmonisation des normes et protocoles analytiques, toxico-pharmaceutiques et cliniques régissant les essais des spécialités pharmaceutiques.

1983
Critères communs d'interprétation des résultats des essais, pour éviter toute divergence d'appréciation.

1987
Procédure communautaire pour l'adaptation rapide des essais au progrès technique. Procédure d'AMM spécifique aux médicaments de haute technologie.

1989
Réglementation du prix des médicaments et remboursement par les régimes d'assurance-maladie : par une procédure d'information à la Commission des communautés, celle-ci peut s'assurer que les États-membres ne bloquent pas la libre circulation des médicaments par des régimes de prix ou de remboursement discriminatoires.

Extension des textes sur l'AMM et les essais des spécialités pharmaceutiques aux médicaments dérivés du sang humain, aux médicaments radiopharmaceutiques et immunologiques.

Exigences communes pour la garantie de bonne fabrication des médicaments.

1992
Extension des textes sur l'AMM et les essais des spécialités pharmaceutiques aux médicaments génériques et homéopathiques humains et vétérinaires.

Système d'autorisation spécifique pour l'activité de distribution en gros des médicaments.

Obligation de notices d'explication pour les médicaments grand public.

Classement commun des médicaments entre ceux en vente libre et ceux nécessitant une ordonnance.

Réglementation commune de la publicité des médicaments.

Certificat complémentaire de protection (CCP), s'ajoutant au brevet, pour protéger de façon exclusive pendant 16 ans les nouvelles spécialités pharmaceutiques.

En préparation : procédure communautaire d'enregistrement des médicaments et Agence européenne des médicaments.

Combattre la pauvreté

Depuis le milieu des années 70, le fléau de la pauvreté n'a cessé de s'étendre en Europe, de sorte que l'on estime aujourd'hui à 48 millions le nombre de pauvres dans la Communauté des Douze. Les impératifs d'une meilleure cohésion économique et sociale qui sont au cœur de l'Acte unique européen justifient l'action communautaire sur le front de la pauvreté dans la perspective de 1993.

■■■■■ L'apparition d'une nouvelle pauvreté en Europe

L'évolution constatée au cours des dernières années montre que la pauvreté se manifeste sous des formes de plus en plus diverses. Les phénomènes d'exclusion et de marginalisation ont tendance à se multiplier et l'on fait de plus en plus référence, à travers l'Europe, à l'apparition d'une nouvelle pauvreté. Cette « nouvelle pauvreté » affecte principalement les groupes de population que l'on savait déjà les plus vulnérables à la crise : les chômeurs, en particulier ceux de longue durée, les jeunes et les femmes isolées, les familles monoparentales (celles dont le chef de famille est une femme), les personnes âgées, les immigrés, les réfugiés, les handicapés.

■■■■■ Une définition communautaire de la pauvreté

En 1984, les ministres européens ont donné une définition de la pauvreté : « Sont considérés comme pauvres, les individus, familles et groupes de personnes dont les ressources (matérielles, culturelles et sociales) sont si faibles qu'ils sont exclus des modes de vie minimaux acceptables dans l'État-membre où ils vivent. » Par la suite, cette définition a été précisée : « Sont considérés comme pauvres, les personnes dont le revenu disponible est inférieur à la moitié du revenu moyen équivalent par habitant dans leur pays. »

■■■■■ Un programme communautaire spécifique de lutte contre la pauvreté

La Communauté a lancé un programme de lutte contre la pauvreté. Doté de 70 millions d'ECU (490 millions de francs), il couvre quatre années (1989-1993). Ses principaux objectifs sont les suivants :
— financer la mise en œuvre de projets concrets d'action sur le terrain menés avec la participation active des personnes concernées ;
— promouvoir et subventionner des initiatives permettant l'intégration des personnes les moins favorisées et impliquant tous les acteurs économiques et sociaux ;
— préciser les caractéristiques des groupes de personnes les plus pauvres et mieux comprendre les mécanismes qui conduisent aux nouvelles formes de pauvreté ;
— améliorer les données statistiques sur la nouvelle pauvreté en Europe.

■■■■■ Aide alimentaire, illettrisme

Depuis 1989, la Commission distribue gratuitement les excédents agricoles de la CEE à des organismes sélectionnés par les États-membres. Parmi les bénéficiaires de cette distribution, on trouve par exemple en France les Restaurants du cœur.
Outre ces actions, des mesures diverses destinées à des populations touchées par le chômage de longue durée ou l'illettrisme, par exemple, sont financées par des budgets spécifiques ou par l'intermédiaire du Fonds social européen (FSE).

LES ASPECTS FINANCIERS DU RMG DANS LA CEE
(pour une famille de deux enfants)

Pays (année de création du RMG)	Part de l'État dans le financement	Nombre de ménages bénéficiaires (en % de la population)	Montant mensuel en monnaie nationale (en F français)	Coût moyen mensuel
Pays-Bas (1963)	90 %	620 000 en 1985 (4,5 %)	2 300 FI en 1987 (7 000 FF)	4 000 FF
RFA (1961)	0	1 million en 1983 (1,6 %) 0,5 million en 1973	2 000 DM en 1987 (6 400 FF)	1 600 FF
Danemark (1983)	50 %	115 000 en 1977	7 400 DKK en 1988 (6 500 FF)	
Luxembourg (1986)	100 %	3 809 communautés 5 280 personnes (1,3 %)	37 530 FL en 1988 (6 380 FF)	2 230 FF
France (1988)	100 % pour la prestation 20 % au moins par les départements pour l'insertion	570 000 (estimation) (3 %)	4 200 FF	1 335 FF
Belgique (1974)	50 %	45 000 en 1985 (0,6 %)	3 300 FF en 1988 pour couple sans enfant (hors prest. familiales)	1 260 FF
Royaume-Uni (1948)	100 %	4,6 millions en 1985 au titre de « l'Income Support » (8,1 %)	348 livres en 1988 - 1 couple avec 2 enfants de 11 à 16 ans (3 800 FF)	1 420 FF
Irlande (1977)	100 %	55 000 en 1987 au titre de la Suppl. Welfare (1,6 %)	2 900 FF en 1987	450 FF

En Espagne et en Italie, il n'existe que des régimes locaux ou régionaux. Rien n'est prévu en Grèce et au Portugal.

Source : Futuribles, janvier 1990.

L'EUROPE PAR ÉTAPES
PASSER LES FRONTIÈRES
LES INSTITUTIONS
LES GRANDS ENJEUX
LA FORMATION
L'EUROPE ÉCONOMIQUE
TRAVAILLER EN EUROPE
L'EUROPE ET LE MONDE

Les consommateurs face au grand marché

La libre circulation des produits au sein de la Communauté comporte de nombreux aspects positifs pour les consommateurs : un plus grand choix de biens et de services, un meilleur rapport qualité-prix. Cependant, elle soulève deux questions. Comment protéger le consommateur contre les produits indésirables ou dangereux provenant d'autres États-membres ? Comment permettre aux consommateurs de se défendre et de faire entendre leur voix en Europe ?

Protéger la santé et la sécurité des consommateurs

La Communauté a adopté de nombreuses directives qui permettent la libre circulation des produits tout en garantissant aux consommateurs le plus haut degré possible de santé et de sécurité.

□ **Additifs** : des listes européennes de substances admises et des critères de pureté ont été établis pour certains additifs utilisés dans la production de denrées alimentaires : colorants, agents conservateurs.

□ **Pesticides** : des directives européennes imposent des teneurs maximales pour les résidus de pesticides dans les fruits, les légumes et les céréales.

□ **Des règles de composition, de fabrication** ont été adoptées pour les miels, les jus de fruits, les laits de conserve, les produits du cacao, les extraits de café et de chicorée, les eaux minérales, les confitures, les aliments surgelés, etc.

□ **Étiquetage** : une directive européenne définit les règles de présentation et d'étiquetage des denrées alimentaires : les étiquettes doivent mentionner la composition des aliments, leur durée de conservation et les additifs utilisés.

□ **Hormones** : des règles européennes de qualité ont été définies pour les échanges de viandes fraîches et le Conseil des ministres a décidé d'interdire l'administration d'hormones aux animaux d'élevage à partir du 1er janvier 1988.

□ **Denrées non alimentaires** : une directive européenne réglemente la composition, l'emballage et l'étiquetage des produits cosmétiques et plusieurs textes ont été adoptés en ce qui concerne les produits pharmaceutiques.

Neutraliser les produits dangereux

□ En 1985, la Communauté a mis sur pied un système d'alerte international entre les États-membres. Ce système d'échange rapide d'informations sur les produits dangereux permet aux autorités des Douze de prendre des mesures pour neutraliser un produit qui présenterait un danger pour le consommateur (il peut empêcher la vente d'huiles usagées par exemple). Ce système couvre tous les produits de consommation (sauf les produits pharmaceutiques).

□ Un système communautaire d'informations et de surveillance sur les accidents domestiques et de loisirs est opérationnel depuis 1987. De nombreux hôpitaux européens y participent en fournissant régulièrement des informations sur ces accidents.

DÉFENDRE SES DROITS

■ Les recours des consommateurs

La politique de la Communauté consiste à protéger les consommateurs contre les pratiques déloyales de certains fournisseurs de biens et de services : clauses abusives dans les contrats, conditions abusives de crédit, méthodes de vente agressives, produits défectueux et garantie, publicité, service après-vente.

• Une directive européenne vise à permettre au consommateur d'introduire une plainte devant des instances judiciaires ou administratives en cas de publicité trompeuse. C'est à l'annonceur de prouver l'inexactitude de ces allégations.

• En 1985, les Douze ont adopté une directive dans le but de protéger les consommateurs dans le cas de contrats négociés lors d'un démarchage à domicile : ce texte oblige le commerçant à informer par écrit le consommateur de son droit de résilier le contrat pendant une durée d'au moins sept jours.

• Récemment, des mesures ont été prises en vue de mettre le consommateur à l'abri des abus de pouvoirs ou des malversations des vendeurs. Ainsi, les États-membres doivent faire en sorte que les consommateurs puissent bénéficier d'un service après-vente pour les biens de consommation durables (par exemple, pour l'obtention de pièces détachées nécessaires à la réparation d'un véhicule).

■ Une charte européenne des droits des consommateurs

Plusieurs programmes communautaires ont été adoptés — en 1975, 1981 et 1986 — pour renforcer la protection et l'information des consommateurs. Ils reconnaissent cinq droits fondamentaux du consommateur :

— Le droit à la protection en matière de santé et de sécurité.

— Le droit à la protection économique du consommateur (contrôle des prix, clauses abusives dans les contrats).

— Le droit à l'information pour permettre un meilleur choix des consommateurs.

— Le droit à la représentation et à la consultation.

■ Un droit à la réparation des dommages

Les Douze ont adopté, en juillet 1985, une directive sur la responsabilité du fabricant en cas de dommage provoqué par un produit défectueux.

Le consommateur se voit reconnaître une possibilité de recours contre le fabricant d'un produit défectueux, qu'il y ait eu négligence ou non de la part du fabricant. La victime doit seulement prouver le dommage, le défaut du produit et le lien de causalité entre le défaut et le dommage. Elle n'a pas à prouver la négligence du producteur.

■ Le crédit à la consommation

Les Douze ont décidé que, à partir du 1er janvier 1995, le calcul du taux de crédit à la consommation se fera de la même façon dans toute la CEE pour les prêts situés entre 1 400 F et 14 000 F. Depuis le 1er janvier 1990, il existe des règles européennes en matière de crédit à la consommation : obligation d'indiquer le taux annuel dans les publicités et les prospectus, nécessité de conclure tout contrat par écrit, droit pour le consommateur de rembourser avant terme.

■ L'information des consommateurs

Depuis le 15 janvier 1991, l'Agence européenne d'information sur la consommation (installée à Lille) renseigne les consommateurs sur la législation européenne destinée à les protéger, sur les tests comparatifs et sur les lois nationales applicables de chaque côté des frontières belges et françaises. D'autres organismes similaires devraient être mis en place au Luxembourg ainsi qu'aux frontières germano-hollandaises.

L'EUROPE PAR ÉTAPES

PASSER LES FRONTIÈRES

LES INSTITUTIONS

LES GRANDS ENJEUX

LA FORMATION

L'EUROPE ÉCONOMIQUE

TRAVAILLER EN EUROPE

L'EUROPE ET LE MONDE

Étudier en Europe

Depuis le 30 juin 1992, les étudiants ainsi que les membres de leur famille bénéficient du droit de séjour dans toute la Communauté.
En favorisant la mobilité des étudiants, la Communauté poursuit un double objectif : former des jeunes compétents dans une autre langue que la leur et capables de communiquer et de coopérer avec des partenaires d'autres pays, grâce à une meilleure connaissance de leurs voisins.

▬▬ S'inscrire à l'université de son choix

□ L'étudiant veut poursuivre une formation professionnelle ou des études préparant à une profession, un métier ou un emploi spécifique : il peut alors étudier dans un autre pays de la Communauté dans les mêmes conditions que les étudiants du pays d'accueil ; on ne peut lui faire subir aucune discrimination en raison de sa nationalité, ni sur le principe de l'inscription ni sur les droits à payer. L'enseignement de formation professionnelle couvre l'enseignement secondaire technique et professionnel ainsi que l'enseignement supérieur universitaire ou non universitaire.

□ L'étudiant veut suivre des études générales sans lien direct avec une formation professionnelle : ces études ne sont pas considérées comme un enseignement professionnel et font l'objet d'un traitement moins favorable. Toutefois, l'étudiant peut s'inscrire dans un autre pays de la CEE dans les mêmes conditions que les étudiants du pays d'accueil s'il est l'enfant d'un travailleur migrant communautaire employé dans ce pays.

▬▬ Poursuivre ses études dans un autre pays-membre

□ La reconnaissance mutuelle des diplômes d'enseignement supérieur qui sanctionnent des formations professionnelles d'une durée minimale de trois ans est effective depuis janvier 1991. Elle permet à une personne disposant de qualifications professionnelles acquises dans un État-membre d'exercer cette même activité professionnelle dans un autre États-membre. Mais il faut également donner la possibilité aux étudiants de faire reconnaître dans un autre pays des périodes d'études déjà effectuées, en vue d'y poursuivre leurs études. C'est le problème de la reconnaissance académique des diplômes.

□ Bien qu'il n'existe à ce jour aucun mécanisme automatique de reconnaissance des périodes d'études, la Communauté a pris deux initiatives dans ce domaine :
— Première initiative : en 1984 a été créé un réseau de « Centres nationaux d'information sur la reconnaissance académique » (appelé NARIC) implanté dans les douze États-membres. En général, il s'agit d'un service relevant du ministère de l'Éducation nationale.
— Deuxième initiative : dans le cadre du programme communautaire Erasmus, un système expérimental de « crédits académiques », capitalisables et transférables dans toute la CEE (ECTS), a été mis en œuvre, à titre expérimental, à partir de l'année 1989-1990. Grâce à ce système, un étudiant français effectuant un semestre ou une année d'études en Allemagne, recevra des crédits qui seront reconnus à la fois dans l'université où il aura séjourné et dans son université d'origine.

■ Quelques conseils aux étudiants

Tout étudiant souhaitant étudier dans un État-membre autre que son pays d'origine doit se renseigner très précisément sur les conditions d'admission à l'université de son choix. En effet, outre le problème de la reconnaissance académique des diplômes, d'autres problèmes peuvent se poser : délais d'inscription, *numerus clausus*, financement des études, concours d'entrée. Deux démarches s'imposent : se renseigner auprès de son service national d'information sur la reconnaissance académique des diplômes (NARIC) et d'autre part auprès de l'établissement où il est envisagé de poursuivre ses études : il y existe en général un service d'accueil pour étudiants étrangers.

La Communauté a également publié un Guide de l'étudiant de la CEE, portant sur l'enseignement supérieur dans la CEE, qui indique les différents critères d'admission dans les universités des États-membres de la CEE. On peut se le procurer auprès du bureau d'information de la Commission européenne à Paris.

■ Le droit de séjour des étudiants

Pour bénéficier du droit de séjour, l'étudiant doit satisfaire à trois conditions :
• être inscrit dans un établissement agréé pour y suivre une formation professionnelle ;
• disposer de ressources suffisantes pour subvenir à ses besoins (une simple déclaration aux autorités du pays d'accueil suffit) ;
• disposer d'une assurance-maladie couvrant l'ensemble des risques dans le pays d'accueil. Une « carte de séjour de ressortissant d'un État-membre de la CEE », valable pour toute la durée des études, lui sera alors délivrée.

■ Les échanges d'étudiants : Erasmus

Le programme communautaire Erasmus a démarré en 1987. Il a pour but de favoriser la mobilité des étudiants par des échanges et la coopération entre universités européennes. Il donne la possibilité aux étudiants d'effectuer une partie de leurs études dans un autre État-membre de la CEE.
• A cette fin, il octroie des bourses d'un montant maximal de 5 000 ECU (35 000 F) par étudiant et par année.
• L'étudiant boursier est exempté du paiement des droits d'inscription dans le pays hôte mais doit continuer à s'acquitter de ces droits auprès de son université d'origine.
• Ce programme n'est valable que dans le cadre d'un accord entre les deux universités concernées. La période d'études passée à l'étranger doit être pleinement reconnue par l'université d'origine, qui doit en tenir compte dans l'attribution du diplôme final.

■ Apprendre des langues : le programme Lingua

L'Europe, c'est douze pays et aussi neuf langues [1]. Parler une, deux, voire trois langues constituera un atout majeur dans l'Europe de demain. En créant le programme Lingua, la Communauté vise à promouvoir l'apprentissage et la formation des jeunes à n'importe quelle langue de la CEE.
• Lingua poursuit les objectifs suivants :
— la formation continue des enseignants et des formateurs en langues étrangères ;
— l'apprentissage des langues étrangères à l'université en développant la formation des enseignants ;
— la connaissance des langues dans les relations professionnelles et le monde économique ;
— les échanges d'élèves qui suivent un enseignement à caractère spécialisé, professionnel et technique.
• A cette fin, le programme Lingua permet l'octroi de bourses pour des élèves (de 15 à 25 ans) et aussi pour des enseignants dans le cadre de projets inter-établissements.

(1) L'anglais est la langue la plus parlée dans la CEE (36 %), suivie du français (26 %), de l'allemand (19 %), de l'italien (13,6 %) et de l'espagnol (13 %).

Les échanges de jeunes

Les jeunes d'aujourd'hui seront et feront l'Europe de demain. La Communauté a décidé de leur donner les moyens de se rencontrer afin qu'ils puissent se familiariser avec la vie sociale, économique et culturelle d'autres pays-membres. Elle offre des possibilités d'échanges à des jeunes par l'intermédiaire de deux programmes communautaires.

▬▬ Depuis 1963 : un programme d'échanges de jeunes travailleurs

☐ Objectifs :
— développer les connaissances professionnelles et enrichir l'expérience pratique ;
— mettre en contact les jeunes travailleurs avec les milieux professionnels de leurs voisins.
Pour participer au programme, il faut :
— avoir la nationalité d'un pays-membre de la CEE ;
— avoir entre 18 et 28 ans ;
— avoir un emploi ou être inscrit au chômage ;
— avoir une formation de base ou une expérience professionnelle (priorité est donnée à ceux qui n'ont pas de formation universitaire).
☐ Des échanges dans quels domaines ?
Un vaste choix d'activités est proposé dans différents secteurs : artisanat, industrie, commerce, santé, services ou agriculture.
Deux types de stage sont possibles :
— de courte durée (3 semaines à 3 mois) ;
— de longue durée (4 à 16 mois). Dans ce cas, une formation linguistique de 1 à 2 mois est comprise au début du stage.

▬▬ Depuis 1988 : le programme « jeunesse pour l'Europe »

☐ Objectif :
— permettre à des jeunes de tous les pays-membres et de toutes les régions d'Europe de rencontrer d'autres jeunes dans la Communauté, soit en les accueillant, soit en leur rendant visite.
☐ Pour bénéficier du programme, il faut :
— avoir entre 15 et 25 ans ;
— prévoir un séjour d'au moins une semaine dans un autre pays-membre ;
— préparer son séjour de telle façon qu'il permette une véritable immersion du jeune dans la réalité économique, sociale et culturelle du pays visité.
☐ L'aide financière de la Communauté va en priorité aux échanges qui :
— réunissent des jeunes issus de différents milieux sociaux, économiques et culturels ;
— concernent des régions de la CEE entre lesquelles les échanges de jeunes sont peu développés ;
— bénéficient à des jeunes défavorisés ;
— sont conçus et organisés par les jeunes eux-mêmes ;
— sensibilisent les jeunes à la dimension européenne.

■ Bénéficier d'avantages dans la communauté : la Carte jeunes

• La Carte jeunes permet aux jeunes Européens de bénéficier d'une série d'avantages en France, en Belgique, en Espagne, au Luxembourg, au Portugal, aux Pays-Bas et en Écosse.

• Tous les jeunes jusqu'à 26 ans peuvent l'obtenir, quelle que soit leur profession.

• La Carte jeunes offre des réductions dans les domaines culturel (musée, théâtre, cinéma) ; sportif (matchs de football) et commercial (avantages lors de la location d'une voiture). Quelques exemples d'avantages :

— en France : la Carte jeunes remplace la carte des auberges de jeunesse. Elle donne droit à des réductions de 50 % sur les musées, 60 % sur certains vols intérieurs, 50 % sur les matchs de championnat de France de football ;

— en Belgique : réductions sur les voyages, les places de théâtre, de cinéma, les musées ;

— en Écosse : avantages touristiques et réductions sur la location de voitures ou les transports en commun ;

— en Espagne : 30 % sur certains trajets de train ;

— au Luxembourg : 50 % sur les manifestations culturelles et sportives ;

— au Pays-Bas : accès gratuit aux musées, 80 % sur les places de cinéma, de théâtre, de danse.

— au Portugal : 50 % de réduction sur les vols intérieurs, 75 % sur les musées.

■ Les échanges de jeunes

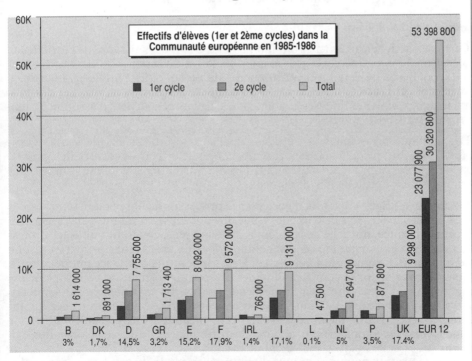

Effectifs d'élèves (1er et 2ème cycles) dans la Communauté européenne en 1985-1986

■ 1er cycle   ■ 2e cycle   □ Total

	B	DK	D	GR	E	F	IRL	I	L	NL	P	UK	EUR 12
Total	1 614 000	891 000	7 755 000	1 713 400	8 092 000	9 572 000	766 000	9 131 000	47 500	2 647 000	1 871 800	9 298 000	53 398 800
	3%	1,7%	14,5%	3,2%	15,2%	17,9%	1,4%	17,1%	0,1%	5%	3,5%	17.4%	

UK : 23 077 900 ; 30 320 800 ; EUR 12 : 53 398 800

Source : Eurostat — Statistiques rapides — Population et conditions sociales — 1988/1

L'EUROPE PAR ÉTAPES

PASSER LES FRONTIÈRES

LES INSTITUTIONS

LES GRANDS ENJEUX

LA FORMATION

L'EUROPE ÉCONOMIQUE

TRAVAILLER EN EUROPE

L'EUROPE ET LE MONDE

La reconnaissance des diplômes

Depuis le 4 janvier 1991, un système général de reconnaissance mutuelle des diplômes d'études supérieures permet aux citoyens européens d'exercer leur profession dans l'État de leur choix.

■■■■■■ **Pourquoi un système de reconnaissance mutuelle ?**

En vertu des principes de non-discrimination et de libre circulation des travailleurs, tout citoyen d'un État-membre doit pouvoir exercer sa profession, à titre indépendant ou salarié, partout dans la Communauté. Comment mettre en œuvre ces principes lorsque les formations et/ou l'expérience professionnelle exigées pour exercer certaines professions (c'est en particulier le cas de professions qualifiées et réglementées) divergent d'un État-membre à l'autre, tant au niveau de la durée des études que de leur contenu ? Un ingénieur en France n'a pas exactement la même formation qu'en Italie ou qu'au Royaume-Uni. Dès lors, pour qu'il puisse prétendre à exercer sa profession dans ces pays, une harmonisation minimale des formations, assortie de leur reconnaissance mutuelle, est indispensable.

■■■■■■ **Ce qui a été fait**

□ Certaines activités artisanales ont fait l'objet d'une reconnaissance de l'expérience professionnelle : commerce de gros et intermédiaires du commerce, industrie et artisanat, commerce de détail, restauration, débits de boissons, hôtellerie, industries alimentaires et fabrication de boissons, commerce de gros du charbon et des produits toxiques, activités diverses et ambulantes, agents et courtiers d'assurance, auxiliaires de transports, coiffure.

□ Les activités nécessitant des études supérieures (professions de santé, architectes,...) ont fait, jusqu'à une date récente, l'objet de directives sectorielles, profession par profession, alliant harmonisation des formations (contenu, durée,...) et reconnaissance mutuelle des diplômes.

□ La directive « Bac + 3 » : afin d'accélérer le processus de libre établissement total des citoyens dans le pays de leur choix, une directive instaurant un système général de reconnaissance mutuelle des diplômes a été adoptée, couvrant toutes les professions accessibles par un diplôme sanctionnant trois ans d'études supérieures. Le système, entré en vigueur le 4 janvier 1991, est fondé sur la confiance mutuelle entre États-membres et sur la comparabilité des niveaux de formation. Son principe est simple : un État ne peut refuser l'accès à une profession réglementée sur son territoire à un ressortissant d'un autre État qui a reçu une formation qui, chez lui, lui ouvre cet accès. L'État-membre d'accueil peut néanmoins exiger du candidat :
une formation complémentaire en cas de différence de durée de la formation exigée chez lui et celle acquise par le candidat ;
un stage pratique ou une épreuve d'aptitude (au choix du candidat), lorsque les études ont un contenu sensiblement différent.

DIPLÔMES ET AVENIR

■ Et les «Bac + 2»?

Un système général complémentaire, que les États-membres devront mettre en œuvre avant le 18 juin 1994, couvre tous les diplômes sanctionnant des études supérieures courtes («Bac + 2»), des études secondaires ou des formations professionnelles spécialisées. Les opticiens et les stewards sont, par exemple, concernés par cette mesure.

■ Les registres comparatifs des qualifications professionnelles

La Commission des Communautés a publié onze registres de ce type, concernant les professions suivantes :

— hôtellerie et de la restauration ;
— réparation automobile ;
— construction ;
— agriculture ;
— textile et habillement ;
— agro-alimentaire ;
— bureau-administration, banque et assurances ;
— chimie ;
— tourisme et loisirs ;
— transports ;
— travaux publics.

Il s'agit de documents qui ont une valeur indicative, non obligatoire, mais pouvant être utile pour quiconque veut savoir à quel(s) type(s) d'emploi(s) il peut prétendre, avec sa formation, dans un autre État-membre.

■ La reconnaissance des diplômes entre la France et la RFA

La France et la RFA ont signé un accord spécifique en 1980, qui fixe, pour les études de sciences, arts, sciences humaines, et partiellement, d'économie, d'administration des affaires, de sciences politiques et de droit, les équivalences de diplômes et périodes d'études, donnant accès à l'année (au semestre en RFA) supérieure :

Diplôme français	Diplôme allemand équivalent
Baccalauréat : accès au premier semestre universitaire en RFA	Deutsche Hochschulreife : accès à la première année universitaire en France
1re année : accès au 3e semestre en RFA	2 premiers semestres : accès à la seconde année en France
DEUG : accès au 5e semestre en RFA	Zwischenprüfung, Diplomprüfung ou équivalent : accès à la 3e année en France
Licence : accès au 7e semestre en RFA	Zwischenprüfung + 2 Hauptseminar-Scheine (ou équivalent) : accès à la quatrième année française
Maîtrise : accès au 3e cycle en RFA	Magister, premier Staatsexamen ou Diplomhauptprüfung : accès au 3e cycle en France

Attention : cet accord ne préjuge pas de conditions d'admission spécifiques imposées par les établissements : connaissance de la langue, capacité d'accueil, etc.

L'EUROPE PAR ÉTAPES

PASSER LES FRONTIÈRES

LES INSTITUTIONS

LES GRANDS ENJEUX

LA FORMATION

L'EUROPE ÉCONOMIQUE

TRAVAILLER EN EUROPE

L'EUROPE ET LE MONDE

Former les Européens

La formation est l'une des clefs du succès économique et social de la construction européenne. La Communauté y consacre un budget de plus de 4 milliards d'ECU par an dans le cadre du Fonds social européen (FSE) et propose des programmes qui préfigurent la naissance du futur marché européen du travail.

� Comett : promouvoir la coopération université/industrie

Budget	200 millions d'ECU sur la période 1990/1994
Nature et buts	Programme de coopération entre l'industrie et les universités en matière de formation initiale et continue aux nouvelles technologies
Actions	Comett se décompose en 4 volets : — Volet A : création d'« Associations universités-entreprises pour la formation » (AUEF). Ces AUEF développent des projets communs et tissent un véritable réseau de formation technologique en Europe. — Volet B : organisation d'échanges transnationaux entre entreprises et universités : stages d'étudiants en entreprise, stages avancés de formation pour les jeunes diplômés, échanges de personnel entre universités et entreprises. — Volet C : soutien à des projets transnationaux entre universités et entreprises : cours intensifs, projets conjoints de formation, projets pilotes, etc. — Volet D : mesures complémentaires : études et visites préparatoires aux projets.

▬▬ Petra : favoriser le passage des jeunes à la vie active

Budget	28 millions d'ECU en 1992
Nature et buts	Programme de formation des jeunes en vue de leur préparation à la vie adulte et professionnelle : — année de formation supplémentaire après la scolarité obligatoire ; — diversification et amélioration de la qualité de l'offre de formation ; — renforcement de la capacité d'adaptation des systèmes de formation aux mutations techniques, sociales et économiques.
Actions	Réseau européen d'initiatives de formation : regroupe plus de 150 initiatives pilotes de formation et de développement local. Projets d'initiative jeunes : initiatives menées par et pour des jeunes, contribuant à leur insertion économique et sociale. Recherche sur la formation : soutien à des projets de recherche et de réflexion menés en coopération par des instituts et par des organismes de formation de la Communauté.

▬▬▬ Eurotecnet : préparer les mutations technologiques

Budget	7,5 millions d'ECU sur la période 1990/1992
Nature et buts	Programme de formation professionnelle aux nouvelles technologies : — formation des formateurs ; — évaluation et certification de l'expérience professionnelle et de la formation ; — adaptation aux PME ; — développement des aptitudes à l'autoformation ; — analyse des besoins.
Actions	Réseau européen de projets : regroupe plus de 135 expériences novatrices en matière de formation aux nouvelles technologies. Programme de coopération transnationale : échanges d'information, projets conjoints, évaluations. Financement d'études et de séminaires. Diffusion des résultats acquis dans le cadre de Eurotecnet.

▬▬▬ Force : pour la formation professionnelle continue

Budget	24 millions d'ECU sur la période 1991/1992
Nature et buts	Programme de soutien et de coordination des actions de formation professionnelle continue : — sensibilisation ; — actions innovantes ; — meilleure efficacité ; — analyse et prévision des besoins...
Actions	Force finance : — des actions transnationales de formation continue, et notamment un programme d'échanges pour la diffusion des innovations en matière de formation continue ; — des actions d'analyse, de suivi, d'évaluation et de prévision des politiques et des évolutions dans les États-membres (ex. : analyse des politiques contractuelles en matière de formation continue, évolution des qualifications et des professions...)

Un grand marché d'ici à 1993

L'Acte unique européen avait fixé au 31 décembre 1992 la suppression de toutes les barrières qui entravent encore la libre circulation des marchandises, des hommes, des entreprises, des services et des capitaux dans la Communauté. Plus de 80 % des mesures préconisées ont effectivement été adoptées dans les délais : depuis le 1er janvier 1993, le grand marché est une réalité.

Un long processus

L'Europe sans frontières n'est pas née *ex nihilo* le 1er janvier 1993. Cette échéance sera en fait le parachèvement d'un long processus, commencé dès la mise en œuvre du traité de Rome en 1957, et dont la suppression des droits de douane et des restrictions dans le commerce entre les États-membres a constitué les premières grandes étapes dès la fin des années 60.

Simplifier puis supprimer les barrières physiques

Ce sont les contrôles et les formalités douaniers et policiers aux frontières, liés, en particulier pour les marchandises, à la perception de la TVA et des accises, au transit, aux contrôles vétérinaires et phytosanitaires et, pour les personnes, outre également certains problèmes fiscaux (franchises voyageurs), à la sécurité (lutte contre le terrorisme, la drogue, etc.). Ces contrôles ont été totalement supprimés pour les marchandises. Pour les personnes, des difficultés supplémentaires ont repoussé l'échéance au 1er juillet 1993.

Éliminer les barrières techniques

Ce sont les divergences des législations nationales relatives aux normes de fabrication et aux conditions de commercialisation des produits, et aux exigences (professionnelles, financières, etc.) requises pour la prestation des services. Il a fallu harmoniser ces législations. Il faudra poursuivre l'œuvre accomplie, pour adapter les textes aux évolutions, techniques et scientifiques notamment, intervenant dans les secteurs concernés.

Démanteler les barrières fiscales

Elles résultent des divergences des législations nationales sur la fiscalité, TVA et droits d'accise en particulier, qui faussent les conditions de concurrence entre les entreprises de la Communauté. L'harmonisation de la fiscalité indirecte a rendu possible qu'au 1er janvier 1993, il n'y ait plus de contrôles aux frontières pour des raisons fiscales.

■ La cohésion économique et sociale

L'Acte unique a doté l'achèvement du marché intérieur d'un volet d'accompagnement intitulé «Cohésion économique et sociale» de la Communauté. Sont regroupées sous ce chapitre l'ensemble des mesures visant à corriger les déséquilibres régionaux et sociaux de la Communauté : lutte contre le chômage, formation professionnelle, désenclavement des régions isolées, développement de celles en retard ou en déclin, modernisation des structures agricoles dans les zones défavorisées...

La politique de cohésion économique et sociale doit aller du même pas que l'achèvement du marché intérieur – faute de quoi, la richesse attirant la richesse, l'ouverture des frontières créerait un risque de déséquilibre à la fois social et régional de la Communauté. Le traité de Maastricht confirme l'orientation de la Communauté en la matière, avec la création d'un nouveau fonds, dit de cohésion, destiné aux États-membres les plus pauvres : Espagne, Portugal, Grèce et Irlande.

■ Relancer la croissance européenne

La Communauté s'est également prononcée, fin 1992, en faveur d'une initiative de croissance économique, à partir de deux nouveaux instruments financiers :
— un emprunt communautaire, géré par la Banque Européenne d'Investissement,
— un Fonds européen d'investissement, pour un total de 30 milliards d'ECU.
Ces instruments seraient affectés prioritairement au financement de projets d'infrastructures, de biens d'équipement, de PME... dans une optique de redynamisation de l'économie européenne.

■ Les douaniers au chômage ?

La fin des frontières entre les Douze ne supprimera pas pour autant les emplois des douaniers. Ceux-ci seront affectés à d'autres tâches, notamment au contrôle aux frontières externes de la Communauté — celles-ci devant faire l'objet d'une surveillance d'autant plus grande que les marchandises ou les personnes en provenance des pays tiers, une fois entrées dans la Communauté par tel ou tel de ses États-membres, circuleront en toute liberté sur tout le territoire communautaire. Les douaniers auront également un rôle décisif dans la prévention des fraudes.

Dans cette optique, la Commission des Communautés a mis sur pied un programme pilote d'échanges de douaniers entre les États-membres, baptisé Mattheus (saint patron des douaniers). Mattheus vise à préparer les douaniers au grand marché, par le développement de leur capacité professionnelle et de leur mobilité, et par la stimulation d'une coopération plus intense entre les administrations douanières. Bref, Mattheus prépare la douane européenne de demain.

■ Surveiller le bon fonctionnement du marché intérieur

La Commission des Communautés a décidé de mettre en place, début 1993, deux organismes chargés de détecter les éventuels problèmes empêchant le marché intérieur de fonctionner correctement (attitudes protectionnistes des administrations nationales, distorsions de concurrence...), et d'y proposer des solutions :
— un comité consultatif de coordination pour le marché intérieur, composé de représentants des États-membres ;
— un comité d'écoute, composé de représentants des entreprises et d'experts indépendants, et coordonnant lui-même l'action d'un réseau de comités nationaux couvrant les douze États-membres.

Des marchandises circulant sans entraves

Les contrôles et formalités aux frontières constituent l'obstacle le plus visible à la libre circulation des marchandises. La Communauté propose à leur égard une stratégie en deux temps : d'abord les simplifier, puis les supprimer.

▰▰▰▰ Pourquoi des contrôles administratifs ?

Ils sont liés à la nécessité de surveiller les flux du commerce intracommunautaire à des fins fiscales (perception de la TVA et des accises), statistiques (collecte des données), de politique commerciale (un État-membre peut se protéger, à certaines conditions, des importations de produits des pays tiers mis en libre pratique sur le territoire de ses partenaires), de contrôle des moyens de transport, de politique agricole (contrôle des montants compensatoires monétaires (MCM) sur les produits agricoles qui restent en vigueur).

▰▰▰▰ Simplifier puis supprimer les contrôles

☐ Deux mesures essentielles de simplification ont jalonné la progression vers le marché intérieur :

— l'instauration d'un Document administratif unique (DAU) pour accompagner les mouvements des marchandises : le DAU a remplacé en 1988 les quelque 70 formulaires nationaux ou communautaires existant, qui devaient accompagner les marchandises lors du franchissement des frontières ;

— la simplification du régime de transit : dès juillet 1988, les opérateurs économiques n'ont plus à constituer de garantie financière auprès des autorités douanières, afin d'assurer le bon déroulement de l'opération.

Depuis le 1er janvier 1993, le régime du transit a été supprimé pour les échanges intra-communautaires. Un régime simplifié de transit a été établi pour les échanges avec certains pays tiers privilégiés — ceux de l'Association européenne de libre échange (AELE : Suisse, Autriche, Norvège, Suède, Islande et Finlande) —, et pour les marchandises circulant sous les conventions internationales de transport TIR et ATA.

☐ Quant aux contrôles à des fins fiscales, ils perdront leur raison d'être lorsque le système actuel d'exonération de TVA dans le pays d'origine (pour les marchandises exportées) et leurs imposition dans le pays d'importation sera remplacé, en 1997, par un système de taxation sur le lieu de production. Depuis le 1er janvier 1993, un système transitoire permet de supprimer les contrôles fiscaux aux frontières, sans opérer tout de suite la réforme susmentionnée. L'informatisation et le traitement automatique de la collecte des données statistiques, privilégiés dans le cadre d'un nouveau système en cours de mise au point (Intrastat), épargneront également nombre de formalités liées à cette collecte.

LES CONTRÔLES

■ Des contrôles vétérinaires et phytosanitaires sur les lieux de production

• Les contrôles vétérinaires et phytosanitaires, relatifs aux produits agricoles et denrées alimentaires d'origine animale et végétale, sont nécessaires à la protection de la santé publique et des consommateurs. Il convient néanmoins de les alléger, de les harmoniser et de les déplacer hors des frontières intracommunautaires, où ils sont source de nombreux retards préjudiciables en particulier à la fraîcheur des produits.

• Au titre de leur allègement, la Communauté s'est lancée dans de vastes programmes d'éradication des maladies animales encore existantes dans la CEE, telles que la peste porcine, la fièvre aphteuse, la rage, la brucellose..., qui devraient rendre leur besoin moins intense.

• L'harmonisation des méthodes de contrôle est également bien entamée, de même que l'harmonisation de ce que l'on cherche à dépister, et particulièrement les substances interdites (ex. : hormones dans la viande, additifs, résidus de pesticides). Cette harmonisation est de nature à éviter la multiplication des contrôles et à renforcer la confiance mutuelle et la coopération des services vétérinaires des États-membres.

Depuis le 31 décembre 1991 :

• Les contrôles vétérinaires se font hors des frontières, sur le lieu d'origine des produits, par les services vétérinaires de l'État-membre d'exportation, avant leur expédition.

• Les producteurs seront en outre tenus à un autocontrôle permanent.

• Des contrôles par sondage sur le lieu de destination seront possibles, de même que lors du transport, en cas de présomption d'infraction.

• A terme, il est prévu un seul contrôle, sur le lieu de départ, et hors des frontières, par les services vétérinaires de l'État-membre d'exportation. Si ceux-ci détectent un problème (présence d'une maladie, d'un parasite, de denrées dangereuses) l'État-membre devra prendre les mesures de sauvegarde nécessaires pour éviter la contamination de ses voisins, et la Commission des Communautés pourra se substituer à lui en cas d'insuffisance des mesures qu'il aura prises.

■ Le sort des agents, transitaires et commissionnaires en douane

L'abolition des contrôles douaniers intracommunautaires au 1er janvier 1993 place ces professions dans une situation économique difficile : 16 250 entreprises (employant 239 000 personnes) sont concernées, dont 25 % directement menacées de licenciement.

D'où l'initiative de la Communauté européenne, qui a décidé de consacrer 30 millions d'ECU en 1993 à un programme de formation et de reconversion professionnelles, et de diversification des entreprises de ce secteur.

L'EUROPE PAR ÉTAPES

PASSER LES FRONTIÈRES

LES INSTITUTIONS

LES GRANDS ENJEUX

LA FORMATION

L'EUROPE ÉCONOMIQUE

TRAVAILLER EN EUROPE

L'EUROPE ET LE MONDE

Vers des produits européens

On ne fabrique pas de la même façon la bière en Allemagne et en Belgique, les prises électriques n'ont pas la même forme en France et en Grande-Bretagne, et un téléphone espagnol aura du mal à fonctionner correctement sur le réseau téléphonique danois. Sans un minimum d'harmonisation technique, l'ouverture des frontières perdra beaucoup de son impact économique, notamment sur les économies d'échelle qu'elle est censée engendrer.

Normes nationales et protectionnisme

Les divergences des législations nationales en matière de normes de fabrication et de commercialisation des produits ont souvent été un alibi du protectionnisme, chaque État-membre arguant de la spécificité de sa législation pour empêcher l'entrée sur son marché des produits non conformes à celle-ci. Ce protectionnisme déguisé était d'autant plus fréquent que l'harmonisation, prévue par le traité de Rome, était lente. A l'époque, on tentait d'harmoniser en détail l'ensemble des dispositions relatives à un produit. De plus, l'unanimité du Conseil des ministres était requise.

La reconnaissance mutuelle

La Cour de justice des Communautés a mis un terme à ces velléités de protectionnisme dans un arrêt célèbre en 1979, l'arrêt « Cassis de Dijon », dans lequel elle affirmait qu'un produit fabriqué conformément à la législation de son État d'origine devait pouvoir circuler librement dans toute la Communauté, même si les autres États-membres avaient une législation différente sur ce produit. En l'espèce, le cassis de Dijon, titrant 18° d'alcool, pouvait être importé en RFA sous l'appellation « liqueur », même si la législation allemande réserve cette appellation aux boissons titrant plus de 22°. La reconnaissance mutuelle des législations nationales était ainsi érigée en laissez-passer général des marchandises.

Une nouvelle approche

Le Livre blanc de la Commission des Communautés sur l'achèvement du marché intérieur a inauguré en 1985 une nouvelle approche entre harmonisation détaillée et reconnaissance mutuelle : seules font l'objet de l'harmonisation les exigences essentielles en matière de sécurité et de santé des consommateurs. Pour le reste, il est fait confiance à la reconnaissance mutuelle et à une normalisation européenne progressive, confiée à des organisme techniques (voir ci-contre). Cette approche donne des résultats d'autant plus remarquables que l'Acte unique permet désormais que les mesures d'harmonisation technique soient prises à la majorité qualifiée des États-membres et non plus à l'unanimité.

LE LABEL EUROPÉEN

■ Certification et qualité des produits

Le contrôle du respect des exigences essentielles harmonisées évoquées doit être fait sur la base de critères communs. Depuis le 1er janvier 1993, les procédures de certification et d'essai de conformité des produits sont harmonisées selon les principes suivants :

— harmonisation des procédures offertes aux fabricants pour assurer le respect des exigences essentielles : bonnes pratiques de fabrication, assurance-qualité, accréditations, etc.) ;

— droit pour les produits conformes aux réglementations communautaires de porter la marque « CE » ;

— désignation par les États-membres sur la base de critères communs, et notification à la Commission, des organismes nationaux se livrant aux certifications et essais de conformité. L'accréditation communautaire de ces organismes entraînera une présomption de conformité européenne de leurs travaux.

■ La normalisation à l'échelle européenne

— Un premier problème à résoudre est celui de la convergence des travaux nationaux de normalisation, qui se poursuivent : elle est assurée par la notification obligatoire à la Commission des Communautés de tous les projets de normalisation dans les États-membres. La Commission examine ces projets et peut les bloquer pendant un an s'ils s'avèrent porteurs d'obstacles potentiels aux échanges. Une harmonisation communautaire est alors nécessaire, qui doit être entamée dans ce délai.

— Des organismes européens de normalisation ont été mis en place :

• l'Institut européen de normalisation des télécommunications (ESTI), basé à Sophia-Antipolis ;

• le Comité européen de normalisation électrotechnique (CENELEC), pour les produits électriques et électroniques, et le Comité européen de normalisation (CEN), pour les autres produits. Le CENELEC et le CEN sont installés à Bruxelles.

Ces organismes sont le pendant de l'AFNOR et de l'Union technique de l'électricité, en France, avec qui ils coopèrent de façon étroite.

De plus en plus, la normalisation européenne prendra le pas sur les travaux nationaux. D'ores et déjà, les autorités publiques (ministères, collectivités territoriales, etc.) des États-membres doivent s'y référer prioritairement dans leurs appels d'offres pour définir les spécifications techniques des marchés publics de travaux et de fourniture de matériel qu'ils entendent conclure.

La marque CE est constituée par le sigle CE conforme au modèle ci-dessus, suivi des deux derniers chiffres de l'année au cours de laquelle la marque a été apposée et du symbole d'identification de l'organisme notifié qui s'est chargé des contrôles aléatoires, de la surveillance CE ou de la vérification CE.

La libre circulation des capitaux

L'article 67 du traité de Rome pose le principe de la libre circulation des capitaux dans la Communauté. La mise en œuvre de ce principe s'est faite progressivement et n'est pleinement assurée que depuis le 1er juillet 1990.

▬▬▬ Les mouvements de capitaux libérés

Tous les mouvements de capitaux sont libres. Chacun, particulier ou entreprise, peut sur tout le territoire de la Communauté :
— procéder à des investissements de toute nature en vue d'exercer son activité professionnelle ;
— faire des investissements immobiliers ;
— acquérir, céder et échanger des titres sur les marchés monétaire ou des capitaux et des parts d'organismes de placement collectif (SICAV, Fonds communs de placement) ;
— ouvrir des comptes courants et de dépôt auprès des établissements financiers ;
— emprunter ou prêter de l'argent pour des opérations commerciales ou financières ;
— procéder à des cautionnements, droits de gage et autres garanties ;
— effectuer des transferts de fonds en exécution de contrats d'assurance ;
— effectuer tout mouvement de capitaux à caractère personnel (prêts, dons et legs, successions, règlement de dettes, transferts d'argent à sa famille, etc.) ;
— exporter et importer des valeurs mobilières, etc.
La Grèce dispose encore de certaines dérogations.

▬▬▬ Les mesures de sauvegarde

Les États-membres peuvent être autorisés par la Commission des Communautés à prendre des mesures de sauvegarde, limitant la liberté de mouvement des capitaux au cas où des mouvements à court terme d'une ampleur exceptionnelle provoqueraient des déséquilibres mettant en péril leurs politiques monétaire et des changes. En cas d'urgence, ils peuvent même agir de leur propre chef, et informer ensuite la Commission qui les autorise, alors, ou non, à poursuivre. Les mesures de sauvegarde ne peuvent excéder six mois. Elles ne peuvent concerner, en outre, que certaines opérations : les opérations sur titres sur le marché monétaire, les opérations en compte courant et de dépôt auprès des établissements financiers, les opérations sur les organismes de placement collectif, les prêts et crédits financiers à court terme, les prêts personnels, les importations et exportations de valeurs mobilières.

▬▬▬ Le soutien de la balance des paiements des États-membres

Face à une totale liberté de mouvement, certains États-membres peuvent voir les capitaux quitter leur territoire, leur causant ainsi des difficultés de balance des paiements. C'est pourquoi un mécanisme communautaire de soutien financier à moyen terme a été mis en place, qui permet l'octroi de prêts aux États en difficulté.

LA FISCALITÉ DE L'ÉPARGNE

Les particuliers comme les entreprises ont naturellement tendance à placer leurs économies dans ceux des États-membres où la fiscalité de l'épargne est la plus avantageuse. Afin d'éviter la fuite des capitaux des États-membres à fiscalité forte, il est proposé d'instaurer, dans toute la Communauté, une retenue à la source de 15 % sur les intérêts perçus sur les placements financiers. En outre, un régime de coopération étroite entre administrations fiscales nationales, pour détecter et réprimer les fraudes, serait mis en œuvre. Ces projets sont actuellement bloqués.

A titre d'exemple, les tableaux ci-après illustrent les différences de taxation des intérêts des dépôts bancaires, des placements en actions et des dividendes dans différents États-membres :

La fiscalité des intérêts des dépôts bancaires					
	Rémunération libre	Abattement	Retenue à la source		Taxation : impôt sur le revenu (IR) ou taxation spécifique
			Résidents	Non-résidents	
BEL	oui	non	25 %	25 %	IR
DAN	oui	non	0 %	0 %	IR
FRA	non	non	0 %	46 %	36 %
RFA	oui	oui	0 %	25 %	IR
ITA	oui	non	0 %	25 %	25 %
LUX	oui	oui	0 %	0 %	IR
P-B	oui	oui	0 %	0 %	IR
ESP	oui	non	0 %	0 %	IR
R-U	oui	oui	23,25 %	27 %	23,25 %

Source : Rapport d'information du Sénat français sur la fiscalité en Europe, par Ch. Poncelet et R. Chinaud, 4 avril 1990.

La fiscalité des placements en actions et des dividendes				
	Avoir fiscal (%)	Abattement	Formules spécifiques d'incitation	Non-résidents
Belgique	73	non	Actions nationales innovations	RS = 25 %
Danemark	40	non	non	RS = 30 %
France	69	oui	CEA/loi Monory*	RS = 25 %
RFA	100	oui	non	RS = 25 %
Italie	100	non	non	RS = 32,4 %
Luxembourg	0	oui	Capital-risque	RS = 15 %
Pays-Bas	0	oui	non	RS = 25 %
Espagne	26	non	non	—
Royaume-Uni	71	non	*PEP/BES*	0 %
Japon	0	—	—	—
États-Unis	0	non	non	RS = 30 %

*   Ces formules ne sont plus en vigueur à l'heure actuelle.
RS : retenue à la source.

Source : Ibid.

Harmoniser la fiscalité indirecte

La réforme de la fiscalité indirecte (TVA et droits d'accises) est une des pierres angulaires de l'achèvement du marché intérieur. Les taux doivent être rapprochés d'un État-membre à l'autre, pour réduire les distorsions de concurrence entre les entreprises, et le mode de perception doit être changé, afin de supprimer les contrôles aux frontières pour raisons fiscales.

▬▬▬ Les taux de TVA se rapprochent

☐ La TVA a été introduite dans la législation des États-membres en 1969. Son assiette, c'est-à-dire la détermination des opérations pour lesquelles elle est due, a été harmonisée en 1977.

☐ Les taux sont harmonisés depuis le 1er janvier 1993 : les États-membres doivent appliquer un taux normal de TVA d'au moins 15 % et peuvent, sur tout ou partie d'une liste limitée d'activités de caractère social et culturel, appliquer un ou deux taux réduits d'au moins 5 %. Les taux majorés (sur les biens de luxe) sont supprimés.

▬▬▬ Les taux d'accises

Ces taxes spécifiques frappent d'un montant fixe, rapporté à une quantité déterminée, un certain nombre de produits (alcools, tabac, huiles minérales, etc.). Leurs taux ont été rapprochés, avec effet au 1er janvier 1993, par l'instauration de taux minima. L'idée présidant au choix des taux est toujours d'orienter la consommation : les accises pour l'essence avec plomb et sans plomb et les biocarburants illustrent la volonté d'encourager la consommation des carburants les moins polluants : le taux minimum pour l'essence avec plomb est de 337 ECU/1 000 l, et de 287 ECU/1 000 l pour l'essence sans plomb. Quant aux biocarburants, la Commission propose pour le futur que l'accise les frappant ne dépasse pas 10 % de celle frappant le carburant qu'ils remplacent (essence ou gasoil).

SUPPRIMER LES FRONTIÈRES FISCALES

Il s'agit de remplacer les formules actuelles de perception aux frontières de la TVA et des accises pour les marchandises faisant l'objet d'échanges intracommunautaires par d'autres modes et lieux d'imposition, afin de mettre un terme aux contrôles frontaliers y afférents.

■ La TVA

• Actuellement, la marchandise exportée est exonérée de TVA dans son pays, mais taxée lorsqu'elle pénètre sur le territoire de l'État-membre d'importation, aux taux et conditions de ce pays.

• Ce système changera d'ici au 31 décembre 1996 : la TVA sera acquittée dans l'État d'exportation puis déduite par l'acheteur dans l'État d'importation.

• Entre-temps, depuis le 1er janvier 1993, un régime transitoire est proposé : le système actuel de taxation dans l'État de destination serait maintenu, mais avec suppression des contrôles aux frontières y afférents, et allégement des charges administratives pesant sur les utilisateurs :

— les contrôles du paiement de la TVA frappant les échanges intracommunautaires se font de la même façon que ceux relatifs aux ventes internes, à partir des documents commerciaux usuels (factures) ;

— la déclaration de cette TVA se fait également dans le cadre de la déclaration périodique applicable aux ventes internes ;

— les limitations actuelles aux achats des voyageurs effectués TTC dans l'État-membre d'achat sont supprimées : la taxation de ces achats est établie directement par le vendeur, aux taux et conditions du pays d'origine des biens.

Des règles spécifiques s'appliquent aux :

— opérations de livraison de biens : une distinction est faite entre l'acquisition du bien, taxée sur le lieu de destination, et sa livraison, exonérée ;

— non assujettis institutionnels et assujettis exonérés : leurs opérations intracommunautaires sont soumises à taxation dans le pays de destination si elles dépassent un seuil de valeur à définir par les États-membres, au minimum de 10 000 ECU par an ;

— véhicules de tourisme neufs : la taxation se fait sur le lieu de première immatriculation du véhicule ;

— ventes par correspondance : elles sont taxées dans le pays d'arrivée si le vendeur réalise, avec des destinataires du type particuliers, non-assujettis institutionnels ou assujettis exonérés, un chiffre d'affaires supérieur à un seuil de 1 000 000 ECU par an (35 000 dans certains cas).

■ Les accises

L'idée générale est de faire acquitter les droits d'accises lors de la mise à la consommation des marchandises. Pour les opérations commerciales, un système d'entrepôts «interconnectés» a été instauré, qui permet les transactions sur les produits en suspension de droit, jusqu'à leur mise à la consommation définitive, où les droits sont perçus. Des vignettes fiscales pourront également être apposées sur les produits, prouvant que leurs droits ont bien été acquittés.

■ Lutter contre les fraudes fiscales

La suppression des frontières fiscales et la libre circulation des capitaux accroissent les tentations de frauder le fisc. Les Douze ont renforcé en conséquence leur dispositif de coopération pour piéger les fraudeurs.

La coopération concerne l'ensemble de la fiscalité, directe et indirecte. Elle peut prendre la forme de vérifications coordonnées par les autorités fiscales des États-membres. Concernant la TVA, un réseau informatisé recensant l'ensemble des assujettis avec leurs numéros de TVA et la valeur agrégée de leurs ventes intracommunautaires, a été mis sur pied.

L'EUROPE PAR ÉTAPES

PASSER LES FRONTIÈRES

LES INSTITUTIONS

LES GRANDS ENJEUX

LA FORMATION

L'EUROPE ÉCONOMIQUE

TRAVAILLER EN EUROPE

L'EUROPE ET LE MONDE

Bourse et Europe

> **L'achèvement du marché intérieur passe par la création d'un marché européen des valeurs mobilières, qui puisse satisfaire les besoins en capitaux des investisseurs et des entreprises.**

▬▬ Les grands principes d'un marché européen des valeurs mobilières

La Communauté doit apparaître aux entreprises comme un marché unique pour l'émission de leurs actions et obligations, et pour leur admission en bourse. A cette fin, elles doivent fournir aux investisseurs une information complète et sûre sur les opérations mobilières qu'elles leur proposent. Le contrôle de la viabilité de cette information et de celle des organismes émetteurs doit être fait par les autorités du pays d'origine et être reconnu par les autres États-membres. Enfin, les règles fondamentales de ce marché doivent être harmonisées, notamment les règles d'exercice des différentes professions financières (courtiers, gérants de portefeuilles, conseils en placement, etc.). Tels sont les grands axes du marché mobilier européen, pour lequel plusieurs mesures concrètes ont déjà été adoptées.

▬▬ Les Organismes de placement collectif en valeurs mobilières (OPCVM)

Il s'agit d'organismes du type des SICAV et des Fonds communs de placement. Ils ont fait l'objet d'une harmonisation, entrée en vigueur en octobre 1989, qui concerne : leur agrément, leurs structures de fonctionnement, leur politique de placement, l'information des participants et leur activité transnationale, lorsqu'ils font des opérations dans d'autres États-membres.

▬▬ L'activité boursière

La législation communautaire fixe des règles communes pour l'admission des valeurs à la cote (notamment la taille minimale de la société, qui doit faire 1 million d'ECU de capitalisation boursière prévisible, ou de capitaux propres), pour le contenu des prospectus qui doivent être publiés lors de cette admission pour informer les investisseurs, et en cas d'offres publiques d'achat (nom des responsables du prospectus, de l'émetteur, ainsi que ses résultats récents et à venir, la description de ses organes de direction, son capital, etc.).

▬▬ Les sociétés d'investissement

La Communauté se propose d'harmoniser d'ici à 1993 les législations nationales relatives aux sociétés d'investissement en valeurs mobilières (conseils en investissement, courtiers, gérants de portefeuilles, agents de change,...) afin de s'assurer notamment de leur solidité financière et de leur respect d'un cadre déontologique minimal.

POINTS DE REPÈRE

■ Les délits d'initiés

La mesure la plus spectaculaire reste la directive relative aux opérations d'initiés, qui interdit aux «initiés primaires» d'acquérir ou de céder, directement ou par l'intermédiaire de tiers, des valeurs mobilières en exploitant, en connaissance de cause, une information privilégiée. Par «information privilégiée», il faut entendre une information inconnue du public, ayant un caractère précis et concernant un ou plusieurs émetteurs de valeurs mobilières ou une ou plusieurs valeurs mobilières qui, si elle était rendue publique, serait susceptible d'influencer de façon sensible le cours de cette ou de ces valeurs mobilières.

Par «initiés primaires», on entend des personnes qui, soit en raison de leur qualité de membre des organes d'administration, de direction ou de surveillance de l'émetteur, soit en raison de leur partici-pation au capital de ce dernier ou en raison de leur emploi, disposent d'une information privilégiée. Les initiés primaires ne peuvent pas non plus communiquer l'information privilégiée à des tiers, qui deviendraient ainsi «initiés secondaires». Ceux-ci se voient par là même interdire la possibilité d'exploiter l'information privilégiée.

■ Le cours des actions dans les États-membres

Le tableau ci-après retrace l'évolution de l'indice du cours des actions dans les États-membres au cours de la période 1985 (indice 100) à 1990. On notera la bonne performance des États-membres nouveaux adhérents et/ou défavorisés de la Communauté (Irlande, Grèce, Espagne) qui, sauf le Portugal, enregistrent les évolutions les plus favorables...

	1985	1986	1987	1988	1989	1990
BEL	100	147	172	171	204	185
DK	100	101	85	95	133	146
RFA	100	141	123	104	133	156
GRE	100	121	416	561	668	—
ESP	100	204	293	325	353	303
FRA	100	166	181	156	221	227
IRL	100	155	224	220	282	269
ITA	100	233	224	185	213	198
LUX	100	181	181	173	212	197
NL	100	113	117	108	136	131
POR	100	—	462	264	220	—
UK	100	124	164	148	177	173

Source : EUROSTAT, statistiques de base de la Communauté. Éd. 1991, p. 78-79.

L'EUROPE PAR ÉTAPES

PASSER LES FRONTIÈRES

LES INSTITUTIONS

LES GRANDS ENJEUX

LA FORMATION

L'EUROPE ÉCONOMIQUE

TRAVAILLER EN EUROPE

L'EUROPE ET LE MONDE

Les banques

Le but poursuivi est d'aboutir à un marché bancaire unique, à l'intérieur duquel toute banque pourra ouvrir des succursales dans n'importe quel pays de la CEE et offrir ses services sur l'ensemble du territoire communautaire. La réalisation de cet objectif suppose que soient réalisées simultanément la liberté d'établissement, la liberté de prestation de services et la liberté des mouvements de capitaux.

▬▬ La liberté d'établissement

☐ La liberté d'établissement, c'est la possibilité, pour toutes les banques des États-membres, d'établir leur siège et de créer des succursales là où elles le veulent dans la Communauté. Cette liberté est entrée dans les faits depuis 1977. Elle a déjà permis l'installation en France de la plupart des grandes banques des autres pays de la CEE. Réciproquement, la plupart des grandes banques françaises (BNP, Crédit agricole, Crédit lyonnais) sont implantées dans les autres pays de la CEE.

☐ Depuis le 1er janvier 1993, l'exercice de la liberté d'établissement en matière bancaire n'est plus limité : lorsqu'une banque souhaite ouvrir une agence ou créer une succursale dans un autre pays-membre, elle n'a plus à demander l'autorisation du pays d'accueil. De même, les conditions d'installation et de fonctionnement des banques ainsi que leur contrôle sont régis par le pays d'origine. En effet, les autorités nationales de contrôle doivent reconnaître mutuellement les agréments délivrés par les autres États-membres. Ainsi, une banque allemande installée en France pourra fonctionner selon les règles allemandes.

▬▬ La libre prestation de services

☐ Les obstacles à la libre prestation de services en matière bancaire sont levés. Depuis le 1er janvier 1993, une banque peut offrir des services directement ou par l'entremise de succursales dans l'ensemble de la Communauté, sur la base d'une licence bancaire unique délivrée par les autorités de supervision de son État-membre d'origine. Ainsi, une banque française peut faire des placements aux Pays-Bas et une banque danoise peut accorder des crédits en Italie. De même, tout particulier peut placer son argent ou solliciter un crédit dans une banque établie dans un État-membre autre que celui où il réside.

LES ENJEUX DE 1993

■ Les activités bancaires ouvertes à la concurrence en 1993

Les Douze se sont mis d'accord sur la liste des activités bancaires qui pourront être exercées librement par-delà les frontières dès le 1er janvier 1993.

Ces activités comprennent : la prise de dépôt et toute forme d'emprunt, les prêts et le crédit-ball, les services de virement d'argent, l'émission et la gestion des moyens de paiement, les transactions pour le compte des clients, le change de devises, la gestion de portefeuille, les services de conseil, la garde en coffre-fort de valeurs mobilières, les services relatifs au crédit aux particuliers, le crédit hypothécaire.

A noter que les particuliers pourront également utiliser, dans toute la CEE, les cartes bancaires délivrées dans les divers pays-membres.

■ Le problème des banques des pays tiers

Pour éviter que la CEE n'accorde un avantage sans contrepartie aux banques originaires des pays tiers (américaines ou japonaises), l'octroi d'agréments bancaires aux banques ayant leur siège en dehors de la CEE sera basé sur le principe de la réciprocité. Cela signifie qu'une banque japonaise, par exemple, jouira des mêmes droits au sein de la CEE que ceux qui auront été concédés aux banques européennes installées au Japon.

■ Trois nouvelles libertés

En matière financière et bancaire, 1993 signifie trois libertés :

1. Liberté pour les entreprises et les particuliers de placer leurs capitaux là où ils le souhaitent dans la CEE.

2. Liberté pour les entreprises et les particuliers de recourir aux services d'une banque, même si celle-ci n'est pas établie en France. Réciproquement, liberté pour les banques de proposer leurs services à la clientèle européenne, où qu'elle se trouve, même sans succursale dans le pays de cette clientèle.

3. Liberté pour les organismes financiers d'ouvrir de nouvelles filiales ou succursales, sans autorisation préalable, dans tous les États-membres.

■ Les dix premières banques européennes par total du bilan

Rang en Europe	Rang dans le monde	Banques	Pays	Total bilan (en MF) 1988
1	8	Crédit agricole	F	1 554 000
2	9	Banque nationale de Paris	F	1 486 112
3	10	Crédit lyonnais	F	1 462 985
4	12	Deutsche Bank	RFA	1 348 139
5	15	Barclays Bank PLC	GB	1 307 459
6	19	ABN Amro Bank	NL	1 176 219
7	20	National Westminster Bank	GB	1 173 822
8	22	Société générale	F	1 120 077
9	26	Dresdner Bank	RFA	954 320
10	28	Cie financière de Paribas	F	944 924

N.B. : Les sept premières banques mondiales sont japonaises.　　　*Le Nouvel Économiste*, Hors série, nov. 1991.

Les assurances

La libéralisation des services d'assurances est un des éléments essentiels de la réalisation du marché unique. L'objectif : permettre aux entreprises et aux particuliers qui désirent être couverts par une assurance d'avoir accès à un marché couvrant l'ensemble de la CEE et de s'adresser directement à une compagnie d'assurances établie dans un autre pays-membre. Comme dans le secteur bancaire, il s'agit d'assurer le libre établissement des assurances et la libre prestation des services d'assurances.

▬▬▬ La liberté d'établissement : une réalité

☐ Aujourd'hui, une compagnie d'assurances peut librement ouvrir une succursale, un bureau ou une filiale dans le pays européen de son choix et y vendre des contrats d'assurance-dommages (incendie, vol, responsabilité civile) ou d'assurance-vie. Un Français, par exemple, peut être assuré par une compagnie belge installée en France.

☐ Toutefois, pour pouvoir s'installer, les compagnies d'assurances doivent obtenir l'autorisation du pays hôte et se soumettre à la réglementation du pays d'implantation. Ainsi, une compagnie d'assurances étrangère installée en France est soumise aux mêmes règles qu'une compagnie française et ses clients ne bénéficient d'aucun traitement particulier.

▬▬▬ La libre prestation de services : uniquement pour les grands risques

La libre prestation de services, c'est la possibilité pour tout assureur de la CEE de souscrire des contrats pour couvrir des risques situés n'importe où dans la CEE, sans avoir besoin d'ouvrir des succursales, filiales ou agences dans chaque pays. Aujourd'hui, cette liberté existe dans le secteur des assurances-dommages (incendie, vol, responsabilité civile), mais le régime est différent selon l'importance des risques :

— Les grands risques industriels et commerciaux : depuis juin 1990, ces risques peuvent être assurés par une compagnie étrangère aux conditions du pays dans lequel la compagnie a son siège. L'Espagne bénéficie d'une période de transition jusqu'en 1997 ; la Grèce, le Portugal et l'Irlande, jusqu'en 1999.

Par exemple, une compagnie d'assurances française peut établir un contrat au profit d'une entreprise allemande aux conditions françaises. Cependant, c'est la fiscalité du pays où le risque est situé qui est appliquée. Ainsi, une compagnie britannique assurant une entreprise française devra faire acquitter les taxes françaises.

— Pour les risques de masse (ceux des particuliers et des petites entreprises), les prestations de services par-delà les frontières sont impossibles sans l'autorisation du pays d'accueil. Ainsi, un automobiliste français ne peut faire assurer directement sa voiture à Londres ou à La Haye. Dès 1994, les compagnies d'assurances régulièrement établies dans un État-membre devraient pouvoir offrir l'éventail complet des services d'assurances (assurances dommages et vie) dans n'importe quel pays de la CEE, sans autorisation du pays d'accueil.

■ Grands risques : marché ouvert depuis juin 1990

— Assurances mer, air, transport.
— Assurance crédit et caution pour les activités professionnelles.
— Assurance incendie, responsabilité civile, dommages causés aux biens conclus par les grandes entreprises.
— Assurances souscrites par des entreprises qui remplissent au moins un des critères suivants :
• minimum de 500 travailleurs ;
• chiffre d'affaires minimal de 24 millions d'ECU ;
• total du bilan minimal de 12 millions d'ECU.
Ces chiffres seront abaissés de moitié en 1993.

■ Risques « de masse » : il faudra attendre 1994

On entend par risques de masse toutes les assurances souscrites par des particuliers qui ne satisfont pas aux critères ci-dessus. A partir de juillet 1994 (fin 1998 en Grèce et au Portugal), les particuliers installés dans la CEE pourront s'assurer dans l'État-membre de leur choix. Réciproquement, les assureurs pourront souscrire des contrats dans les douze pays, même sans y avoir de succursale.
En attendant, les particuliers pourront souscrire de leur propre initiative une assurance-dommages dans un autre État-membre mais, dans ce cas, la réglementation applicable au contrat sera celle du pays où le risque est situé (la loi du pays du preneur d'assurance).
Par exemple, un ménage français désireux de souscrire une assurance multirisques habitation auprès d'une compagnie britannique bénéficiera d'un contrat de type français. La fiscalité appliquée sera celle de la France.

■ Les disparités de taxation des contrats d'assurance dans la CEE

Situation au 1er juillet 1992 :

	Incendie	Santé	RC auto
RFA	10 %	10 %	10 %
Belg.	9,25 %	9,25 %	9,25 %
Danem.	0 %	0 %	50 %
Esp.	0 %	0 %	0 %
France	7/30 %	9 %	5/18 %
GB/Irl.	0 %	0 %	0 %
Holl.	7 %	0 %	7 %
Italie	12/21 %	2,5 %	12,5 %
Lux.	4 %	4 %	4 %

La réalisation d'un véritable marché unifié dans le secteur des assurances passe nécessairement par l'harmonisation de la fiscalité des contrats d'assurance actuellement très divergente entre les pays-membres. La poursuite de cette harmonisation est nécessaire pour éviter la délocalisation des contrats des entreprises et des investissements au bénéfice des pays qui offriraient aux compagnies les conditions fiscales les plus avantageuses.

■ L'assurance-vie

Depuis le 1er janvier 1993, les particuliers peuvent souscrire une police d'assurance-vie auprès de n'importe quel assureur européen. Il faut toutefois distinguer entre deux situations :
— La compagnie d'assurances démarche le client dans un autre pays : elle doit alors se plier à la législation de ce pays. C'est la loi du pays prospecté qui s'applique au contrat.
— L'assuré s'adresse lui-même à une compagnie étrangère : son contrat est alors régi par la législation du pays du siège de la compagnie. Après avoir signé le contrat, le preneur a la possibilité d'y renoncer pendant un délai de 30 jours.
Remarque : en attendant une harmonisation fiscale, les contrats d'assurance-vie seront soumis aux impôts et taxes du pays du risque (celui où le preneur a sa résidence).

L'ECU et le SME

Paiera-t-on un jour ses achats en ECU ? Au-delà de cette question, à la fois pratique et symbolique, se dresse le problème d'une véritable Union économique et monétaire de l'Europe.

▬▬▬ Le Système monétaire européen (SME)

Le Système monétaire européen (SME) est né en 1979, avec pour objectif d'assurer une meilleure stabilité aux monnaies européennes face aux désordres monétaires internationaux. Dans le SME, chaque monnaie a un cours pivot rattaché à l'ECU, ce qui permet l'établissement d'une grille de taux de change bilatéraux. Les monnaies ne peuvent varier entre elles de plus de 2,25 %, à la hausse ou à la baisse (la peseta et l'escudo ont toutefois droit à une marge de fluctuation de 6 %). Lorsqu'une monnaie franchit un « seuil de divergence » égal à 75 % de sa marge maximale de fluctuation par rapport à une autre (soit environ 1,7 %), les autorités monétaires des deux États-membres concernés doivent intervenir pour rétablir l'équilibre (mesures de politique économique appropriées, vente ou achat de devises, etc.). Lorsque le plafond des 2,25 % est dépassé, tous les États doivent, de concert, intervenir. Les États en difficulté pour intervenir peuvent bénéficier d'un mécanisme de crédit, alimenté par une réserve commune leur permettant de financer leurs interventions. Il faut noter que le drachme ne participe pas au SME. La livre et la lire en sont sorties provisoirement en septembre 1992.

▬▬▬ Vers l'union monétaire de l'Europe

☐ Le principe d'une véritable politique monétaire européenne, en lieu et place de celles des États-membres, a été décidé par le traité de Maastricht. L'union monétaire de l'Europe complétera ainsi sont union économique et son union politique, *via* un processus en étapes, dont l'ultime et la plus spectaculaire devrait être la création d'une monnaie unique, en juillet 1998.

☐ Les États-membres devront satisfaire à quatre conditions :

— un taux d'inflation raisonnable ;

— des finances publiques saines, sans déficit budgétaire excessif ;

— le respect des marges normales de fluctuation au sein du SME pendant au moins deux ans, sans dévaluation monétaire ;

— un caractère durable de la convergence qu'ils auront pu atteindre et de leur participation au mécanisme de change du SME, se reflétant dans la stabilité des taux d'intérêt à long terme.

☐ Les États-membres transféreront progressivement toute compétence en matière de politique monétaire à une nouvelle institution, totalement indépendante, baptisée « Système européen de banques centrales » (SEBC), composée d'une Banque centrale européenne et des douze banques nationales des États-membres. La SEBC aura un but majeur, la stabilité des prix, et quatre missions fondamentales : définir et mettre en œuvre la politique monétaire de la Communauté, conduire ses opérations de change, détenir et gérer les réserves officielles de change des États-membres, promouvoir le bon fonctionnement des systèmes de paiement. La BCE, entre autres tâches, émettra les billets de banque de la Communauté.

■ L'ECU :
un panier de monnaies

L'ECU est le pivot du SME. Il est également utilisé pour la définition et l'exécution du budget de la CEE, la fixation des prix agricoles et, d'une façon générale, pour toutes les opérations financées par la CEE dans le cadre des politiques qu'elle poursuit.

L'ECU est une unité de compte commune composée, au prorata de leur importance économique et de leur contribution au commerce extérieur de la CEE, par les monnaies des douze États-membres.

La peseta et l'escudo sont rentrés dans l'ECU en 1989.

L'ECU a une valeur variable : il s'échange sur le marché monétaire aux taux de ce marché. Sa composition en panier et l'efficacité du SME lui confèrent néanmoins une grande stabilité. Son cours est publié chaque jour au Journal officiel des Communautés européennes. La Commission des Communautés a mis en service un télex à répondeur automatique qui transmet à tout demandeur, sur simple appel télex, les taux de conversion de l'ECU dans les principales monnaies. Ce service fonctionne chaque jour de 15 h 30 au lendemain 13 h.

L'utilisateur doit procéder de la manière suivante :
— appeler le n° de télex 23789 à Bruxelles ;
— émettre son propre indicatif télex ;
— former le code « cccc » qui déclenche le système de réponse automatique entraînant l'impression des taux sur son télex ;
— attention : ne pas interrompre la communication avant la fin du message, signalée par l'impression « ffff ».

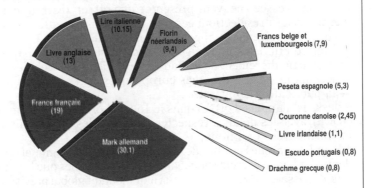

La composition de l'ECU (en %)
(Indice des taux du 21/09/89)

Source : Ministère
des Affaires européennes.

■ Les usages privés de l'ECU

L'ECU n'est pas une monnaie au sens légal du terme : il n'est pas émis par une banque centrale, mais constitue simplement un assemblage de monnaies. Dans la pratique cependant, tous les États-membres, à l'exception de la RFA, le traitent comme une devise que leurs entreprises et citoyens peuvent utiliser pour leurs dépenses. Les banques ont été les premières à se servir de l'ECU, pour émettre des obligations. Elles font également des prêts en ECU. Les entreprises commencent à facturer en ECU, notamment pour leurs opérations à l'étranger. Les particuliers se voient maintenant offrir des produits financiers en ECU : SICAV, Fonds communs de placement, assurances-vie... Enfin, l'ECU est une devise utilisée pour voyager : des cartes bancaires, des chèques de voyage sont maintenant libellés en ECU.

L'EUROPE PAR ÉTAPES

PASSER LES FRONTIÈRES

LES INSTITUTIONS

LES GRANDS ENJEUX

LA FORMATION

L'EUROPE ÉCONOMIQUE

TRAVAILLER EN EUROPE

L'EUROPE ET LE MONDE

L'ouverture des marchés publics

Les marchés publics des États, collectivités régionales et locales et autres administrations, représentent 9 % du PIB de la Communauté (15 % si l'on y ajoute les marchés passés par les entreprises publiques). Trop souvent, ils sont attribués aux entreprises nationales, sans véritable mise en concurrence au niveau européen. Cette situation n'est pas conforme aux objectifs du marché intérieur.

▬▬▬ Des marchés ouverts à toutes les entreprises de la CEE

Les marchés publics de travaux et de fournitures font l'objet d'une réglementation communautaire qui vise à assurer à tous les entrepreneurs et fournisseurs de la Communauté une égalité de chances et de moyens pour y participer. Les marchés de travaux d'un montant supérieur à 5 millions d'ECU et les marchés de fournitures d'un montant supérieur à 200 000 ECU sont soumis à une procédure communautaire pour leur attribution, qui prévoit notamment :

— les procédures à utiliser par les pouvoirs adjudicateurs : ouverte (toutes les entreprises intéressées peuvent présenter une offre), restreinte (seul un nombre réduit d'entreprises présélectionnées sont invitées à présenter une offre) ou, à titre exceptionnel, négociée (sans appel à la concurrence) ;

— l'interdiction de toute exigence discriminatoire de la part des pouvoirs adjudicateurs, particulièrement au niveau des spécifications techniques des marchés. La référence aux normes techniques européennes doit au contraire être prioritaire ;

— la publication obligatoire :

• des avis d'appels d'offres dans le Journal officiel des Communautés européennes (JOCE), avec les délais à respecter, pour que les offres puissent être publiées dans les meilleures conditions ;

• Pour les marchés publics de fournitures, d'un avis annuel de « pré-information », au début de chaque exercice budgétaire, sur les marchés que le pouvoir adjudicateur envisage de passer au cours de l'année, si leur montant global prévisible dépasse 750 000 ECU ;

— les règles communes de participation aux marchés et d'attribution de ceux-ci. Le résultat de chaque marché doit faire l'objet d'un procès-verbal, qui peut être communiqué aux candidats et à la Commission des Communautés, et qui doit même faire l'objet, pour les marchés de fournitures de matériels et d'équipements, d'une publication au JOCE.

▬▬▬ Ouvrir les marchés publics dans tous les secteurs

La législation communautaire sur les marchés publics ne couvre pas les armes et le matériel de guerre. Il n'est pas prévu de changement en la matière. En revanche, d'autres secteurs autrefois exclus sont aujourd'hui ouverts ou le seront prochainement. Il s'agit en particulier des marchés :

— des transports, des télécommunications, et de production et de distribution d'eau et d'énergie, depuis le 1er juillet 1992 ;

— de services (prestations intellectuelles et de conseil en particulier) à compter du 1er juillet 1993.

■ Mieux faire respecter la législation communautaire

Une étude commandée par la Commission des Communautés laisse entendre qu'à peine 20 % des marchés publics dans la Communauté seraient attribués conformément à la législation communautaire. Les violations les plus fréquentes sont la non-publication des avis au JOCE, le recours abusif aux procédures de passation exceptionnelles, la référence à des spécifications administratives ou techniques discriminatoires, l'exclusion illégale des soumissionnaires issus des autres États-membres, par l'utilisation de critères de sélection discriminatoires, l'attribution abusive des marchés aux candidats nationaux. Les entrepreneurs et fournisseurs lésés ne sont pas suffisamment protégés.

Depuis le 21 décembre 1991, la Commission des Communautés peut intervenir directement, par exemple en bloquant les procédures d'adjudication entachées d'une présomption d'illégalité. Les États-membres devront, de leur côté, se doter de procédures judiciaires uniformisées, efficaces et rapides, pour sanctionner les infractions et réparer les dommages qu'elles auront occasionnés à l'encontre des entreprises injustement évincées des marchés publics.

Enfin, la Commission des Communautés tente également de faire respecter la législation européenne sur les marchés publics en n'attribuant de subventions pour des projets d'équipement ou d'infrastructure, dans le cadre de ses politiques sociale, régionale et agricole, que si les bénéficiaires publics potentiels organisent une mise en concurrence conforme à ladite législation pour la réalisation de ces projets.

■ S'informer sur les marchés publics : le JOCE, le système TED

Les avis de marchés publics sont publiés au Supplément au Journal officiel des Communautés européennes (JOCE, série S). Il est possible de s'y abonner, en s'adressant à l'Office des publications officielles des Communautés européennes (OPOCE). Par ailleurs, ces avis sont repris dans une base de données mise au point par la Commission, baptisée « Tenders Electronics Daily » (TED). On peut s'abonner à TED : s'adresser à l'OPOCE, ou à son Euroguichet le plus proche, qui y a accès (voir le chapitre suivant).

Publication des résultats d'un appel d'offres soumis à la législation communautaire sur les marchés publics, émanant de la marine française, pour des lots de tissus. Des entreprises belges, néerlandaises et italiennes figurent parmi les lauréates. (Extrait du JOCE, série S, n° S/80 du 25/04/1990.)

F-Paris : Tissu

1. *Pouvoir adjudicateur :* Service des marchés généraux du commissariat de la marine, F-00308 Armées — Tél. 43 06 00 49.
2. a) *Mode de passation :* Appel d'offres restreint.
   b)
3. *Date de passation du marché :* 13.3.1990 ; 16.3.1990 ; 6.4.1990.
4. *Critères d'attribution :* Prix.
5. *Offres reçues :* 9 - 9 - 11 - 5.
6. *Fournisseur(s) :* Utexbel SA, B-9600 Renaix.
   Saic Velcorex SA, F-68314 Illzach Cedex.
   Urgé SA, F-59117 Wervicq-Sud.
   Nino France sarl, F-75009 Paris.
   Seyntex SA, B-8880 Tielt.
   Textiles du Vermandois sarl, F-53000 Laval.
   Ten Cate Protect BV, NL-7443 Nijverdal.
   Berglas-Kiener SA, F-68000 Colmar.
   Maniffatura di Valle Brembana SpA, I-20123 Milano.
   Lepoutre SA, F-59057 Roubaix Cedex 1.
   Anciens éts Lemaître-Demeestère SA, F-59250 Halluin.
7. *Produits fournis :* 80 000 m de popeline polyester-coton 145 en 150 blanche,
   80 000 m de toile polyester coton 290 en 150 bleu foncé hydrofugée,
   20 000 m de satin coton 320 en 150 gris ignifugé,
   140 000 m de sergé polyester viscose 260 en 150 blanc.

Les PME face au grand marché

Les PME représentent plus de 95 % des entreprises de la CEE et assurent plus de deux tiers de l'emploi des Européens : 60 % dans l'industrie et 75 % dans les services. Cependant, du fait de leur taille, elles sont handicapées lorsqu'elles veulent exporter, s'ouvrir aux nouvelles technologies, ou suivre l'évolution des législations qui les concernent. Pour les aider à surmonter ces difficultés, la Communauté a lancé un programme d'action en faveur des PME.

▬▬▬ Les PME : une définition communautaire

Chaque pays a sa propre définition des PME, fondée le plus souvent sur le nombre maximal de travailleurs employés. La fourchette varie entre 50 et 500 employés. Afin d'éviter des interprétations trop rapides ou erronées, la Communauté utilise généralement la définition suivante : est considérée comme PME toute entreprise ayant un effectif inférieur à 500 personnes, dont le capital n'est pas détenu pour plus d'un tiers par une grande entreprise et dont les immobilisations nettes sont inférieures à 75 millions d'ECU (525 millions de F). Ces trois conditions sont cumulatives.

▬▬▬ Le développement des PME : une priorité pour la Communauté

Un des axes essentiels du programme d'action PME est l'amélioration de l'environnement de l'entreprise (suppression des contraintes administratives, financières et juridiques excessives). Cette politique se traduit concrètement dans l'activité législative de la Communauté.

Depuis 1986, toutes les propositions d'acte législatif de la Commission européenne sont assorties d'une fiche d'impact de celles-ci sur les PME et la création d'emplois.

▬▬▬ L'information des PME : les Euro-infocentres

La Commission européenne a mis en place un réseau d'Euro-infocentres ou Euro-guichets décentralisés, destinés à informer les entreprises sur les mesures que la CEE prend en leur faveur. Il en existe 211 installés auprès des structures locales existant dans les États-membres (chambres de commerce, banques, etc.). Les Euro-guichets ont une triple mission :

— Informer les PME sur les mesures communautaires pouvant les intéresser (législation, normes, aides, prêts, programmes de recherche, marché intérieur, marché des pays tiers).

— Conseiller les PME (par exemple pour les dossiers de candidature faisant suite aux appels d'offres).

— Établir un réseau de partenaires capables de s'informer mutuellement sur les procédures nationales et régionales pour les PME.

◼ L'accès des PME aux sources de financement

La Communauté a déjà pris plusieurs mesures pour faciliter la solution des problèmes de financement, source des problèmes de coopération entre entreprises de différents pays.

— Capital-risque et PME : l'association européenne de capital-risque (EVCA) regroupe 125 sociétés de capital-risque européennes. Cette association gère le projet « Venture consort » qui consiste en des prises de participation de sociétés membres de l'EVCA dans des projets d'entreprises de dimension européenne. Le programme Eurotech Capital vise à encourager des opérations privées à instaurer un mécanisme d'investissement permettant de faire face aux besoins financiers des promoteurs de projets transnationaux de technologies avancées.

— La Société européenne d'ingénierie financière (SEFI) a pour mission de soutenir, par des conseils, des études et des informations les initiatives transnationales des PME. Elle regroupe la plupart des institutions spécialisées de crédit à long terme dans les pays de la CEE.

◼ Les centres d'entreprise et d'innovation (CEI)

Pour répondre à une demande toujours plus importante en matière de création d'entreprises et pour les aider à se maintenir, la Commission européenne a mis sur pied des CEI qui offrent aux PME en phase de création toute la gamme des services nécessaires à la réussite de leur projet, depuis leur émergence jusqu'au décollage. Les CEI peuvent notamment aider la jeune entreprise dans la recherche de fonds permettant sa création.

En France, les CEI sont implantés à Cholet, Dunkerque, La Rochelle, Metz, Montpellier, Nancy, Nîmes, Poitiers, Saint-Etienne et Toulon.

◼ L'accès des PME aux nouvelles technologies

En raison de leur souplesse et de leur autonomie, les PME peuvent être des vecteurs très efficaces de l'innovation et du transfert de technologie. Mais elles ne disposent pas des spécialistes nécessaires à leur mise en œuvre.

Le programme Sprint a été lancé en 1984 pour développer des infrastructures d'assistance à l'innovation. Sprint comporte les axes suivants :

— La création d'un réseau de consultants et d'experts en matière de coopération transnationale : la Commission apporte une aide au lancement d'associations professionnelles regroupant des organismes européens de conseil aux entreprises.

— Le soutien à l'organisation de visites transnationales d'échanges professionnels et de foires technologiques spécialisées.

— L'information et la formation au management de l'innovation : aides en faveur de l'européanisation des conférences sur les technologies et l'innovation, index informatisé permettant la comparaison de normes techniques nationales (Icone).

— L'aide à des projets permettant le transfert de technologies entre entreprises de pays différents.

— L'aide au lancement commercial de l'innovation.

◼ Moins de formalités

Le Conseil a invité les Douze à mettre en œuvre une politique de simplification administrative en faveur des PME. Il recommande la création dans chaque État-membre de guichets uniques fournissant des informations sur les formalités à remplir lors de la création d'une entreprise.

La coopération entre entreprises

Les entreprises européennes ont besoin de s'allier pour affirmer leur présence dans des réseaux de distribution de plus en plus vastes. Mais du fait de leur taille, les PME manquent souvent de moyens humains, financiers, et de pratique pour se lancer dans des opérations interrégionales ou transfrontalières. C'est pourquoi la Communauté s'est dotée d'instruments spécifiques pour faciliter les rapprochements d'entreprises.

Coopérer : sous quelles formes ?

☐ La coopération est la recherche d'occasions de rapprochement entre des acteurs économiques qui souhaitent se renforcer mutuellement. Contrairement aux fusions d'entreprises, les coopérations permettent à chaque partenaire de conserver sa personnalité et son indépendance.

☐ Un accord entre entreprises peut se limiter à un contrat de forme très simple portant sur des points précis et bien délimités. Mais des formes plus poussées de coopération sont possibles, comme par exemple la création en commun par des partenaires associés d'un « joint venture » (association d'entreprises), nouvelle entité juridique distincte de chacun d'eux.

☐ Les formes de coopération peuvent intéresser le domaine commercial, la mise en commun d'infrastructures de gestion ou la réalisation de programmes de recherche et de développement technologique. Suivant la nature des accords, on parle :
— de coopération verticale, s'il s'agit de relations entre fournisseurs et acheteurs;
— de coopération horizontale, si les entreprises concernées sont concurrentes.

Les rapprochements d'entreprises : le BRE

☐ Le Bureau de rapprochement des entreprises (BRE) a été créé en 1973 par la Commission européenne. Cette structure joue un rôle de conseil et de mise en contact en faveur d'entreprises à la recherche de partenaires européens.

☐ Le BRE a mis sur pied l'action Europartenariat : son objectif est d'encourager, dans les régions en retard ou en déclin industriel, des accords de coopération commerciale, technique et financière entre entrepreneurs de ces régions et leurs homologues du reste de la CEE.
Cette action comporte trois étapes :
1. Identification et sélection, dans la région choisie, de projets de coopération d'entreprises regroupées dans un catalogue.
2. Diffusion de ce catalogue dans les autres pays de la CEE.
3. Organisation de journées de rencontres pour mettre en contact les entreprises de la région choisie et les entreprises d'autres États-membres intéressées à collaborer avec elles. Europartenariat s'est déjà déroulé en Irlande (1988), en Andalousie (1989), au Pays de Galles (1990), à Porto (1991) et à Leipzig (1991).

MIEUX COOPÉRER

■ Un instrument communautaire de coopération : le GEIE

Depuis le 1er juillet 1989, les entreprises de la CEE disposent d'un nouvel instrument juridique de coopération transnationale : le Groupement européen d'intérêt économique (le GEIE).

Le GEIE permet à des entreprises distinctes établies dans des États-membres différents de mettre en commun une partie de leurs activités dans une entité juridique autonome, tout en gardant leur propre indépendance.

— Le GEIE ne réalise pas de bénéfices pour lui-même. Son but est de développer l'activité économique de ses membres et d'accroître leur propre bénéfice. Le résultat de l'activité du groupement n'est imposable qu'au niveau de ses membres, c'est le droit fiscal national qui s'applique.

— Les activités du GEIE ont un caractère auxiliaire par rapport à celle de ses membres : elles doivent avoir un lien avec l'activité de ses membres sans pouvoir les remplacer.

— Les formalités de constitution et de fonctionnement du GEIE sont souples :

• Un GEIE peut être constitué par toute entreprise, société ou personne physique exerçant dans la CEE des activités industrielles, commerciales, artisanales, agricoles ou de services. Il ne peut employer plus de 500 personnes. Il n'y a pas de capital minimal obligatoire. Toutes les formes d'apport sont possibles, en espèces, en nature, en industrie.

• Deux actes sont indispensables : la conclusion d'un contrat écrit et l'immatriculation à un registre désigné par l'État-membre du siège.

• Un GEIE doit compter au moins deux membres liés à deux États-membres différents. Il est doté de la pleine capacité juridique.

■ Le BC-NET (Business Cooperation Network)

Le BC-NET est un réseau européen informatisé de coopération et de rapprochement inter-entreprises, mis sur pied par la Commission européenne. Ce système compare en temps réel les demandes et les offres de coopération les plus diverses émanant des milliers d'entreprises européennes. Depuis son lancement en 1988, le BC-NET a traité plus de 63 000 demandes de coopération.

• S'il s'agit d'une offre de coopération, le BC-NET la stocke dans sa banque de données.

• S'il s'agit d'une demande, le BC-NET la compare automatiquement avec son stock d'offres.

— Si le stock d'offres permet de donner une réponse immédiate, le demandeur la reçoit aussitôt ;

— Si le stock d'offres du BC-NET ne contient pas de réponse à une demande, celle-ci est distribuée aux correspondants du BC-NET situés dans l'aire géographique concernée par la demande de coopération.

Le BC-NET couvre également les pays de l'AELE, la Pologne, la Tchécoslovaquie, le Brésil, le Mexique, le Chili, Israël, la Tunisie et la Turquie.

■ La sous-traitance

Le BRE mène également une politique d'information et de conseil dans le domaine de la sous-traitance transnationale. Concrètement, il met à la disposition des sous-traitants et des donneurs d'ordre des terminologies harmonisées qui permettent aux entreprises de définir leur sous-traitance dans les neuf langues officielles de la CEE. Plusieurs secteurs sont déjà couverts : métal, matières plastiques, électronique, services industriels, etc. Le BRE a également publié un guide pratique sur les aspects juridiques des contrats de sous-traitance industrielle dans la CEE.

Le droit des sociétés

Avec la multiplication des relations transfrontalières entre les entreprises, l'harmonisation des règles concernant la forme et le fonctionnement des sociétés s'impose. L'objectif est d'assurer, au niveau communautaire, une protection équivalente des intérêts des actionnaires, des salariés, des créanciers et des tiers. Les entreprises doivent également avoir les moyens juridiques de fusionner, d'établir des filiales communes et de se restructurer au plan européen pour affronter la concurrence internationale.

Dans sa tâche d'harmonisation, la Communauté s'est jusqu'ici limitée au cas des sociétés anonymes et à responsabilité limitée. En effet, ces sociétés constituent des formes juridiques prédominantes dans la CEE.

Des règles de publicité uniformes

Depuis 1979, les États-membres sont obligés de tenir un registre officiel des sociétés et de garantir la publication de certaines informations dans un bulletin officiel. Ainsi, le public a accès à une information portant sur les mêmes domaines, pour toutes les sociétés de la Communauté : statut de la société, identité des gérants et des administrateurs, dissolution de la société, etc.

Capital des sociétés anonymes

Le capital d'une société représente une garantie essentielle pour les créanciers et les actionnaires. La législation communautaire exige une souscription d'au moins 25 000 ECU pour pouvoir fonder une société anonyme.

Comptes annuels des sociétés : un langage comptable uniforme

Des règles communautaires ont été définies pour la présentation des comptes annuels des sociétés anonymes. Le bilan annuel d'une société doit donner une idée exacte de la situation de la société en ce qui concerne son patrimoine, sa santé financière, ses pertes et ses profits. Les mêmes dispositions ont été prises en ce qui concerne les comptes annuels consolidés de sociétés faisant partie d'un même groupe d'entreprises (exemple : les sociétés mères et leurs filiales).

Obligations d'information des succursales

En 1993, les succursales de sociétés situées dans un État-membre autre que celui où est située la société mère n'auront plus à publier les comptes annuels de leur activité propre. Elles devront toutefois publier un bilan consolidé de la société dont elles dépendent. Cette mesure est importante car la création d'une succursale est un moyen pour une entreprise d'exercer son droit d'établissement dans la Communauté.

LES SOCIÉTÉS EN EUROPE

■ En projet : la société anonyme européenne

Actuellement, il n'existe pas de forme de société appropriée pour les entreprises qui souhaitent développer en commun leurs activités sur une base transnationale. La Commission européenne propose donc un projet de «Société anonyme européenne», qui permettra aux entreprises de créer (ou de combiner) des activités sur la base d'une législation européenne plutôt que nationale.

Le statut de Société européenne sera :
• facultatif pour les entreprises, libres de fonctionner sous cette forme ou de ne pas s'en servir ;
• fondé sur un droit européen indépendant des divers droits nationaux.

Le choix du statut de Société européenne impliquera une participation des travailleurs à la gestion de l'entreprise. Les entreprises auront le choix entre trois formules de participation qui reflètent les traditions de la plupart des États-membres :
1. l'élection par les travailleurs d'une partie des membres du conseil de surveillance (cogestion allemande) ;
2. la participation des travailleurs par le biais d'un organe représentant le personnel (comité d'entreprise de type latin) ;
3. la participation des travailleurs sur la base d'accords collectifs à conclure au sein de l'entreprise (modèle nordique).

■ Mutuelles, coopératives et associations européennes

Les coopératives, mutuelles, associations et fondations vont pouvoir, si elles le désirent, disposer d'une personnalité européenne et développer des activités transnationales tout en gardant leur spécificité. Les statuts européens prévoient des dispositions communes dans plusieurs domaines : l'assemblée générale, les organes, les moyens de financement, les dispositions comptables, la dissolution et la liquidation, l'insolvabilité et la cessation des paiements.

■ Des facilités fiscales pour les entreprises européennes

La CEE poursuit deux objectifs essentiels en matière d'imposition directe des sociétés :
— faciliter la coopération et les fusions entre entreprises en levant les obstacles fiscaux aux opérations transfrontalières ;
— éliminer tous les cas de double imposition pour les entreprises européennes.

■ L'impôt sur le bénéfice des sociétés dans les douze États-membres

La diversité de traitement fiscal des sociétés au sein de la CEE reste considérable. Il est peu probable qu'une harmonisation totale de l'impôt sur les sociétés intervienne à moyen terme. Un groupe d'experts européens indépendants présidé par l'ancien ministre néerlandais des Finances, Onno Ruding, recommande toutefois aux Douze de fixer, dès 1994, un taux d'imposition sur les sociétés de 30 % minimum et de 40 % maximum dans toute la CEE.

Situation au 1er janvier 1993 :

Pays	Taux (%)
Belgique	39
Danemark	36
France	42 (*)
	33 1/3 (**)
RFA	36 (*)
	50 (**)
Grèce	35
Irlande	10 (***)
	43
Italie	36
Luxembourg	33
Pays-Bas	35
Portugal	36
Espagne	35
Royaume-Uni	33

(*) Bénéfice distribué.
(**) Bénéfice non distribué réinvesti dans l'entreprise.
(***) Taux réduit pour les entreprises manufacturières.

L'EUROPE PAR ÉTAPES
PASSER LES FRONTIÈRES
LES INSTITUTIONS
LES GRANDS ENJEUX
LA FORMATION
L'EUROPE ÉCONOMIQUE
TRAVAILLER EN EUROPE
L'EUROPE ET LE MONDE

La politique de concurrence

La Commission européenne est chargée de veiller au respect des règles de concurrence dans les douze États-membres. C'est un rôle important qui lui donne même le pouvoir d'infliger des amendes aux entreprises.

■■■■ L'interdiction des ententes entre entreprises

L'article 85 du traité de Rome vise le comportement anticoncurrentiel de deux ou plusieurs entreprises. Il interdit tous les accords entre entreprises, les décisions d'associations d'entreprise et toutes pratiques concertées susceptibles de fausser le jeu de la concurrence à l'intérieur de la CEE.
Sont par exemple interdits les accords entre entreprises qui consistent :
— à fixer en commun, de façon directe ou indirecte, les prix d'achat ou de vente ;
— à limiter ou à contrôler la production, les débouchés, le développement technique ou les investissements ;
— à appliquer à l'égard de partenaires commerciaux des conditions inégales pour des prestations équivalentes ;
— à se répartir les marchés en vue d'éliminer des partenaires commerciaux.

■■■■ L'interdiction d'abuser d'une situation de monopole

L'article 86 du traité de Rome interdit qu'une ou plusieurs entreprises exploitent de façon abusive une position dominante dans le Marché commun ou dans une partie substantielle de celui-ci. On considère qu'une entreprise occupe une position dominante dans le Marché commun lorsqu'elle a le pouvoir d'agir de façon indépendante sans tenir compte des clients ou fournisseurs concurrents. Le fait de détenir une position dominante n'est pas en soi condamnable ; c'est le fait d'en abuser qui est interdit.
Quelques exemples d'abus de position dominante :
— l'élimination d'un concurrent ;
— l'application de prix d'achat ou de vente inéquitables ;
— l'application de prix discriminatoires ou différents selon les clients ;
— le refus de vente opposé à un client sans raison valable.

■■■■ Les aides d'État : en principe interdites

L'article 92 du traité de Rome interdit en principe l'octroi d'aides d'État aux entreprises. Ces aides ne peuvent être octroyées sans l'accord de la Commission. Si la Commission n'est pas d'accord avec le projet d'aide de l'État-membre, elle peut exiger sa suppression ou sa modification.
Les entreprises publiques sont également soumises aux règles communautaires de la concurrence.

ACCORDS ET LIMITES

■ Tous les accords entre entreprises ne sont pas interdits

Certaines formes de coopération entre entreprises ne sont pas considérées comme restrictives de la concurrence, tels :

1. Les accords de coopération portant sur :
— l'échange d'opinion et d'expérience ;
— la réalisation en commun d'études sur des secteurs économiques ;
— l'étude en commun des marchés ;
— la coopération en matière de comptabilité ;
— l'exécution en commun de contrats de recherche et de développement ;
— le service après-vente et de réparation en commun lorsque les entreprises ne sont pas en concurrence entre elles.

2. Les accords de sous-traitance : le contrat de sous-traitance est un accord en vertu duquel le « sous-traitant » fournit des biens, des travaux ou des services à une autre entreprise, le « donneur d'ordres », suivant les directives de ce dernier.

3. Les accords de faible importance : il s'agit d'accords entre entreprises dont le chiffre d'affaires global au cours d'un exercice ne dépasse pas 200 millions d'ECU.

■ Certains accords sont interdits mais peuvent bénéficier de dispenses

Le traité de Rome dispense certaines ententes de l'application de l'article 85, lorsqu'elles sont justifiées économiquement (exemple : les ententes qui contribuent à améliorer la production, la distribution des produits ou au progrès technique et économique).

Pour bénéficier de ces exemptions, les entreprises doivent les demander elles-mêmes à la Commission européenne qui accordera alors des exemptions individuelles.

Cependant, toutes les ententes ne doivent pas être notifiées à la Commission. En effet, pour nombre d'entre elles, la Commission accorde des exemptions ou des dispenses de groupe qui couvrent certaines catégories d'accords, par exemple :
— accords d'achats exclusifs (accords entre les brasseries et les cafetiers, accords entre compagnies pétrolières et stations-services) ;
— accords de transfert de savoir-faire ;
— accords relatifs aux concessionnaires d'automobiles ;
— accords entre compagnies maritimes au sujet des tarifs ou des conditions de transport.

■ Les enquêtes au siège des entreprises

La Commission dispose de larges pouvoirs d'investigation pour vérifier si le comportement d'une entreprise fausse la concurrence à l'intérieur de la CEE. Elle peut obtenir les informations dont elle a besoin par :
— des demandes de renseignement écrites adressées aux entreprises ;
— des vérifications effectuées au siège même des entreprises par des fonctionnaires mandatés par elle.

Lorsqu'elle constate une infraction, la Commission peut y mettre fin et infliger des amendes allant jusqu'à 1 million d'ECU.

■ Les grandes concentrations d'entreprises soumises à autorisation

La Commission européenne contrôle toute fusion dès lors que le chiffre d'affaires mondial combiné des entreprises concernées dépasse 5 milliards d'ECU, et que le chiffre d'affaires individuel d'au moins deux de ces entreprises dépasse 250 millions d'ECU à l'intérieur de la CEE.

L'EUROPE PAR ÉTAPES
PASSER LES FRONTIÈRES
LES INSTITUTIONS
LES GRANDS ENJEUX
LA FORMATION
L'EUROPE ÉCONOMIQUE
TRAVAILLER EN EUROPE
L'EUROPE ET LE MONDE

Le droit de séjour

> Le droit de séjour est déjà acquis depuis longtemps pour les travailleurs, salariés ou non, avec leur famille dans tout pays de la CEE. Depuis le 30 juin 1992, tous les citoyens européens, ou presque, bénéficient du droit de séjour.

Un droit de séjour pour les travailleurs

Deux cas peuvent se présenter :
— Pour un séjour inférieur à trois mois, il n'y a aucune formalité spécifique à remplir. Le régime « touriste » s'applique. Ainsi, tout ressortissant d'un État-membre peut demeurer dans un autre État-membre que le sien pendant trois mois : il doit alors se conformer à la loi du pays d'accueil et subvenir à ses besoins sans avoir recours aux aides publiques de cet État.
— S'il trouve un emploi (comme salarié, indépendant ou prestataire de services), il a alors le droit de s'établir dans le pays d'accueil qui lui délivrera une « carte de séjour de ressortissant d'un État-membre de la CEE ». Ce document est valable sur tout le territoire de l'État de résidence pour une période d'au moins cinq ans renouvelable — et ceci même si le travailleur est absent du pays pour des périodes pouvant aller jusqu'à douze mois ou s'il effectue son service militaire.
Tout citoyen d'un État-membre exerçant sur le territoire d'un autre État-membre une activité salariée à temps partiel bénéficie de la libre circulation, à condition que ses activités ne présentent pas un caractère marginal ou accessoire.

Pour les membres de leur famille

☐ Un travailleur européen qui a trouvé un emploi dans un autre pays de la CEE a le droit d'y emmener sa famille, c'est-à-dire :
— son conjoint ;
— ses enfants de moins de 21 ans, ou à charge ;
— ses petits-enfants jusqu'à 21 ans ;
— ses enfants et petits-enfants de plus de 21 ans qui sont toujours à la charge du travailleur ;
— ses parents (ascendants) ainsi que les parents de son conjoint qui sont à la charge du travailleur.
Les formalités pour obtenir le titre de séjour sont les mêmes que pour le travailleur.
☐ A la différence du travailleur, le conjoint et les autres membres de la famille ne sont pas obligés d'avoir la nationalité d'un État-membre de la Communauté pour bénéficier du droit à la libre circulation.
Par exemple, un travailleur français établi en Belgique peut se faire rejoindre par son père et/ou sa mère turque, à condition qu'ils aient été à charge de ce travailleur dans le pays d'où ils viennent. Les membres de la famille qui ne possèdent pas la nationalité d'un État-membre doivent obtenir les visas nécessaires.

LES CONDITIONS DE SÉJOUR

■ Le titre de séjour

Le travailleur fait lui-même la demande du titre de séjour. Il est en infraction s'il s'abstient de le faire. En outre, il doit toujours être en mesure de présenter son titre de séjour lors d'un contrôle d'identité.

Pour obtenir le titre de séjour, le travailleur doit :
— déclarer sa présence aux autorités du pays d'accueil ;
— présenter une pièce d'identité ;
— fournir la preuve qu'il a trouvé du travail : pour les salariés, une attestation de l'employeur est suffisante. Pour les indépendants, une attestation d'inscription à un ordre professionnel ou l'immatriculation au registre du commerce du pays d'accueil sont nécessaires.

■ Refus du titre de séjour

Le travailleur peut se voir refuser un titre de séjour pour des motifs d'ordre public, de sécurité et de santé publique.

En cas de refus du permis de séjour, le candidat au droit de séjour doit avoir le temps de préparer sa défense : il dispose de 15 jours en cas de première demande de permis et d'un mois s'il s'agit d'un renouvellement. Il a le droit d'être entendu par une autorité indépendante de celle qui délivre le permis de séjour.

■ Expulsion de l'État de résidence

Un travailleur qui détient déjà son titre de séjour peut être expulsé du pays de résidence pour des raisons d'ordre public et de sécurité publique mais non pour des raisons de santé publique.

Il ne peut être expulsé à cause :
— de sa situation financière ;
— de l'expiration de son passeport ou de son titre de séjour ;
— d'une condamnation pénale pour un délit mineur.

De même, il ne peut se voir retirer son droit de séjour :

— s'il est frappé d'incapacité suite à un accident ou à une maladie ;
— s'il a perdu son travail involontairement.

■ Droit de séjour permanent pour la famille du travailleur

Deux cas peuvent se présenter :
— Le travailleur reste dans le pays d'accueil après avoir cessé toute activité salariée : les membres de sa famille ont le droit de demeurer avec lui ; ils conservent leur droit de séjour après son décès.
— Le travailleur décède au cours de sa vie professionnelle : les membres de sa famille peuvent rester de façon permanente dans le pays de séjour :
• si le travailleur est décédé en raison d'un accident de travail ou d'une maladie professionnelle ;
• si le conjoint du travailleur possède ou a possédé la nationalité du pays où le travailleur et sa famille vivent ;
• si le travailleur a vécu de façon continue au moins pendant deux ans dans le pays de résidence.

■ Un droit de séjour étendu à tous les Européens

Depuis le 30 juin 1992, bénéficient également du droit de séjour :
— les étudiants suivant des cours de formation professionnelle pendant la durée de leurs études,
— les retraités, salariés ou non-salariés, ayant travaillé dans la CEE,
— les « non-actifs » c'est-à-dire tous les autres citoyens des Douze.
Pour bénéficier effectivement du droit de séjour, ces personnes doivent satisfaire à deux conditions : disposer pour eux-mêmes et pour leur famille d'une assurance-maladie valable dans le pays d'accueil et avoir des ressources suffisantes pour ne pas devoir demander une assistance sociale dans ce pays. Les permis de séjour accordés dans ces conditions seront de cinq ans renouvelables.

L'EUROPE PAR ÉTAPES

PASSER LES FRONTIÈRES

LES INSTITUTIONS

LES GRANDS ENJEUX

LA FORMATION

L'EUROPE ÉCONOMIQUE

TRAVAILLER EN EUROPE

L'EUROPE ET LE MONDE

Exercer son métier dans le pays de son choix

Les citoyens de la Communauté ont le droit d'occuper un emploi salarié, d'exercer une activité indépendante ou de créer une entreprise dans n'importe quel pays de la CEE.

Les salariés

Pour les travailleurs salariés, on peut affirmer que la libre circulation est presque entièrement réalisée : un employé ou un ouvrier peut, en général, exercer son métier dans un pays de la CEE autre que le sien, sans subir de discrimination en raison de sa nationalité.

Les indépendants

□ Les artisans, commerçants ou chefs d'entreprise peuvent s'établir dans n'importe quel pays de la CEE exactement dans les mêmes conditions que les citoyens du pays où ils veulent exercer leur activité. Cette liberté d'établissement permet la constitution et la gestion d'entreprises, et notamment de sociétés, dans les conditions définies par la législation du pays d'installation pour ses propres ressortissants.

□ Les indépendants bénéficient également du droit à la libre prestation de services : ils peuvent ainsi poursuivre temporairement une activité économique dans un autre État-membre que celui dans lequel ils ont déjà leur établissement principal.

Les professions libérales

Plusieurs directives européennes assurent la reconnaissance mutuelle des diplômes pour une série de professions libérales réglementées (médecins, infirmières, vétérinaires, sages-femmes, dentistes, pharmaciens, architectes).

Les fonctionnaires

Les ressortissants communautaires sont en droit de postuler aux emplois suivants :
— transports (chemins de fer par exemple) ;
— services de santé publique (hôpitaux) ;
— enseignement dans les établissements publics ;
— organismes chargés de gérer un service commercial (distribution de gaz et d'électricité, compagnies de navigation aérienne ou maritime, transports publics, PTT, organismes de radio-télédiffusion) ;
— recherche à des fins civiles.

Les emplois dans ces secteurs doivent être ouverts dès lors qu'ils ne relèvent pas de l'exercice de la puissance publique.

Toutefois, certaines fonctions restent réservées aux nationaux. Il s'agit des emplois dans la police, l'armée, la diplomatie, la magistrature, l'administration fiscale ainsi que les emplois relevant des ministères, de l'État et des collectivités régionales et territoriales.

L'ÉGALITÉ DES DROITS

■ Des droits égaux pour tous les travailleurs européens

En vertu du principe de l'égalité de traitement, les travailleurs communautaires bénéficient, ainsi que leur famille, des mêmes droits que les nationaux du pays d'accueil. Ils ne peuvent subir aucune discrimination dans les différents domaines de leur vie.

Il est à noter que ces droits ne s'appliquent qu'aux citoyens de la Communauté européenne, non aux ressortissants des pays tiers.

Logement
— Droit d'être propriétaire d'un logement et d'emprunter de l'argent à cette fin.
— Droit de louer une habitation.
— Droit de s'inscrire sur la liste d'attente pour les HLM ou autres organismes de la région où ils sont employés.

Avantages sociaux
— Droit d'être assuré social dans l'État d'accueil.
— Assistance sociale.
— Droit aux allocations familiales.
— Droit au revenu minimum.
— Droit à l'aide au logement.
— Aide aux familles nombreuses.
— Réductions pour les familles nombreuses dans les transports en commun.
... et toute autre aide dès lors qu'elle est accessible aux nationaux.

Éducation et formation
— Droit d'accès à l'enseignement professionnel et aux centres de recyclage.
— Droit à la formation continue au sein de l'entreprise.
— Droit à bénéficier des mesures visant à encourager l'accès à la formation professionnelle.
— Droit à l'éducation supérieure.
— Droit de suivre des cours à l'université pour une qualification professionnelle menant à un emploi spécifique.
— Droit à l'apprentissage gratuit de la langue du pays d'accueil et de la langue et de la culture du pays d'origine.
— Pour les enfants du travailleur communautaire : droit d'accès aux écoles, universités et centres d'apprentissage.

Conditions de travail et d'embauche
— Mêmes conditions de recrutement.
— Droit à l'ancienneté sur les mêmes bases que les nationaux.
— Même protection légale à la réintégration et à la réembauche.
— Droit de s'inscrire dans les agences pour l'emploi.
— Droit aux allocations de chômage.
— Pas de «statut spécial» par rapport aux travailleurs nationaux.

Rémunération
Égalité de rémunération (interdiction de discrimination).

Droits syndicaux
— Droit d'adhérer à un syndicat et d'exercer ses droits de syndiqué.
— Droit de voter et d'exercer des responsabilités au sein d'une organisation syndicale.
— Droit d'être élu dans les instances représentant les travailleurs au sein de l'entreprise.

Salaires et avantages sociaux
Il n'y aura pas de véritable marché européen de l'emploi sans harmonisation des rémunérations, des régimes sociaux et des conditions de travail. Les salaires et les avantages sociaux des pays actuellement en retard devraient progressivement rattraper ceux des pays les plus avancés, au fur et à mesure de la réalisation du grand marché intérieur.

Actuellement, aucune proposition de rapprochement des législations dans ce domaine n'est en vue.

Les travailleurs non communautaires

La politique suivie par les États-membres à l'égard des travailleurs non européens n'est toujours pas harmonisée. Le statut des travailleurs provenant des pays tiers est régi par la législation nationale du pays d'accueil.

▪▪▪▪ L'entrée et le séjour des ressortissants des pays tiers

Il n'existe pas encore de disposition au niveau communautaire concernant l'entrée et le séjour dans la CEE des ressortissants des pays tiers.

A l'heure actuelle, les ressortissants des pays tiers résidant régulièrement dans un État-membre de la CEE ne peuvent se déplacer dans un autre État-membre qu'à la condition d'obtenir un visa. En aucun cas ils ne peuvent s'établir et donc travailler dans un autre État-membre que celui où ils résident, à moins d'obtenir une autorisation de séjour ou de travail.

Grâce à l'harmonisation des politiques de visas, les non-Européens vivant dans la CEE devraient avoir, d'ici à 1993, la possibilité de circuler librement d'un pays à l'autre de la CEE. Mais ils ne disposeront pas du droit de résidence dans le pays de leur choix.

▪▪▪▪ Une amorce de coopération : les accords méditerranéens

Le statut juridique des travailleurs maghrébins et turcs résidant dans la CEE fait l'objet d'accords de coopération conclus entre la CEE et les pays du Maghreb (Tunisie, Algérie, Maroc), d'une part, et la CEE et la Turquie, d'autre part. Ces accords ne permettent pas la libre circulation des travailleurs de ces pays dans la Communauté. En revanche, ils prévoient l'égalité de traitement par rapport aux ressortissants des États-membres en ce qui concerne notamment les conditions de travail et de rémunération.

Il faut noter que les négociations économiques menées avec tel ou tel pays ou groupe de pays tiers (par exemple les pays ACP) fournissent également l'occasion d'aborder les questions ayant trait au statut de leurs ressortissants au sein de la CEE.

▪▪▪▪ La participation des immigrés à la vie politique

La participation des immigrés à la vie politique est un thème de débat dans nombre de pays européens.

☐ La Belgique, la France, l'Allemagne fédérale et l'Italie réservent aux seuls nationaux le droit de vote et d'éligibilité. Dans ces quatre pays, le nombre des étrangers est relativement important et le problème du droit de vote soulève de vives controverses politiques.

☐ En revanche, d'autres pays-membres accordent le droit de vote et d'éligibilité aux élections locales aux immigrés qui résident depuis un certain temps sur leur territoire : c'est le cas notamment aux Pays-Bas, au Danemark, en Irlande et en Grande-Bretagne (pour les ressortissants Commonwealth).

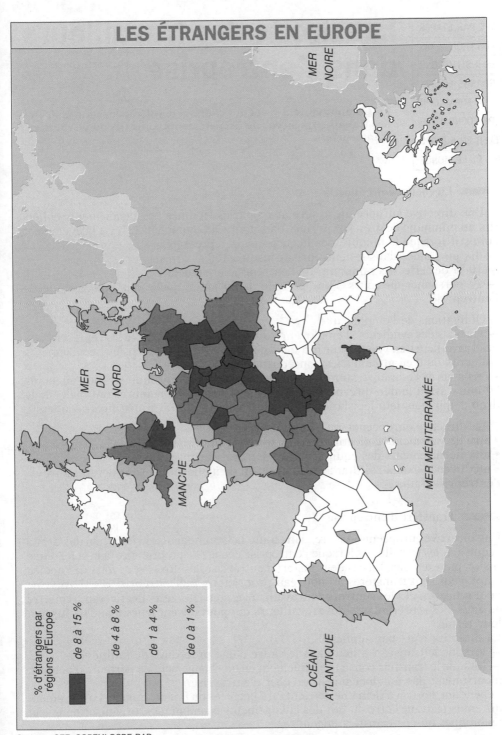

LES ÉTRANGERS EN EUROPE

MER NOIRE

MER DU NORD

MANCHE

MER MÉDITERRANÉE

OCÉAN ATLANTIQUE

% d'étrangers par régions d'Europe

de 8 à 15 %

de 4 à 8 %

de 1 à 4 %

de 0 à 1 %

Sources : CEE. SOPEMI-OCDE RAD

L'EUROPE PAR ÉTAPES

PASSER LES FRONTIÈRES

LES INSTITUTIONS

LES GRANDS ENJEUX

LA FORMATION

L'EUROPE ÉCONOMIQUE

TRAVAILLER EN EUROPE

L'EUROPE ET LE MONDE

Les droits des travailleurs dans l'entreprise

La Communauté a tracé un cadre général concernant le droit des travailleurs en cas de licenciements collectifs ou de rachats d'entreprises.

▬▬▬ Licenciement collectif

☐ Une directive européenne assure aux salariés victimes de licenciements collectifs un minimum de droits uniformes dans toute la Communauté. Il y a licenciement collectif lorsque le nombre des licenciements représente :
— dix personnes dans les entreprises jusqu'à 100 salariés ;
— 10 % des effectifs minimum de l'entreprise et au-delà ;
— 20 personnes au cours d'une période de 90 jours, quelle que soit la taille de l'entreprise.

☐ Obligations de l'employeur :
— vis-à-vis des syndicats : l'employeur doit consulter au préalable les représentants des travailleurs en vue d'aboutir à un accord permettant d'éviter les licenciements collectifs ou d'en atténuer les conséquences ;
— vis-à-vis de l'administration : l'employeur doit prévenir l'administration au moins 30 jours avant la date prévue du licenciement. Les États-membres ont bien sûr le droit d'appliquer leur législation nationale si elle est plus favorable aux travailleurs.

☐ La directive européenne ne s'applique pas :
• aux licenciements collectifs dans le secteur public ;
• aux licenciements des équipages de navires de mer ;
• aux licenciements résultant d'une décision de justice prévoyant la fermeture de l'entreprise (faillite).

▬▬▬ Transfert d'entreprise

Une directive européenne assure, dans toute la Communauté, le maintien des droits acquis par les travailleurs lorsque l'entreprise change de propriétaire (à la suite d'une fusion par exemple). En cas de transfert d'entreprise, les droits et devoirs de l'ancien employeur sont transférés au nouveau propriétaire de l'entreprise. Ce dernier ne peut renégocier ni les contrats de travail, ni les conventions collectives, ni remettre en cause les représentants des travailleurs qui poursuivent leurs mandats jusqu'à leur terme.
La directive n'est pas applicable :
— lorsque le transfert a lieu dans le cadre d'une procédure de faillite ;
— lorsque le transfert consiste simplement en un changement de porteurs d'actions, n'entraînant pas un changement de chef d'entreprise.
Cependant, les travailleurs ne peuvent être licenciés du fait du transfert proprement dit, mais peuvent l'être du fait des changements économiques, organisationnels et techniques que ce transfert engendre.

L'EUROPE SOCIALE

■ Vers un dialogue social européen

L'Acte unique européen assigne à la Commission la mission de développer le dialogue entre partenaires sociaux au niveau européen pouvant déboucher sur de véritables conventions collectives européennes.

• Jacques Delors a été à l'origine de l'ébauche d'un dialogue social européen qui a eu lieu en janvier 1985 à Val-Duchesse (près de Bruxelles) entre la Commission européenne, l'Union des industries de la Communauté européenne (UNICE) représentant le patronat européen et la Confédération européenne des syndicats (CES).
• Le dialogue social européen a abouti à deux résolutions communes :
— l'une, adoptée en novembre 1986, sur la stratégie coopérative de croissance ;
— l'autre, adoptée en mars 1987, sur la formation, l'information et la consultation des travailleurs en matière de nouvelles technologies.
• En revanche, aucun projet concret de convention collective européenne n'est encore en vue. Jacques Delors a suggéré la négociation d'une convention collective européenne afin que « chaque travailleur se voie reconnaître le droit à la formation permanente ».

■ La Charte sociale européenne

Lors du sommet européen de Strasbourg, les 8 et 9 décembre 1989, onze chefs d'État et de gouvernement ont adopté une charte rappelant les droits sociaux fondamentaux qui devraient être communs à tous les salariés européens. Seule la Grande-Bretagne a récusé ce texte.
Un « Protocole social », annexé au traité d'Union européenne, a été conclu entre les douze États-membres (à l'exception du Royaume-Uni). Cet accord prévoit que onze pays pourront prendre entre eux les mesures nécessaires pour traduire concrètement les droits contenus dans la Charte en « lois européennes ».

Voici quelques-uns de ces principaux droits :
— amélioration des conditions de vie et de travail (durée et aménagement du temps de travail, repos hebdomadaire, congés payés, contrat de travail) ;
— droit à la libre circulation des travailleurs ;
— droit à une rémunération équitable et à un salaire de base décent ;
— droit à une protection sociale adéquate ;
— droit à une retraite décente ;
— droit à la liberté d'association et à la négociation collective ;
— droit à la formation professionnelle ;
— droit à l'égalité de traitement hommes/femmes ;
— droit à l'information, à la consultation et à la participation des travailleurs.

■ La dimension sociale : un impératif

A mesure que l'achèvement du marché intérieur progresse, le besoin d'une Europe sociale se fait de plus en plus pressant :
— l'intensification de la concurrence et les restructurations d'entreprises par-delà les frontières risquent de compromettre les droits sociaux ;
— la réalisation d'un espace économique commun est porteuse d'inégalités potentielles : il faut éviter que la libre circulation des hommes, des marchandises et des capitaux n'entraîne des flux d'investissements dans les États-membres où les lois sociales sont les moins exigeantes. Pour contrebalancer ces risques, une législation sociale européenne s'impose. Mais cette perspective soulève de vives controverses politiques au sein des États-membres.

■ La preuve du travail

A partir de juin 1993, les employeurs européens devront porter à la connaissance du travailleur salarié les éléments essentiels du contrat ou de la relation de travail, deux mois au plus tard après son embauche, au moyen d'une déclaration écrite. Celle-ci vaudra preuve de la relation de travail devant les tribunaux.

L'EUROPE PAR ÉTAPES
PASSER LES FRONTIÈRES
LES INSTITUTIONS
LES GRANDS ENJEUX
LA FORMATION
L'EUROPE ÉCONOMIQUE
TRAVAILLER EN EUROPE
L'EUROPE ET LE MONDE

Hygiène et sécurité du travail

L'Acte unique permet à la Communauté de légiférer pour améliorer les conditions de travail et protéger la sécurité et la santé des travailleurs.

Des normes minimales de santé et sécurité pour les lieux de travail (à partir du 1er janvier 1991)

□ Les lieux de travail mis en service après le 1er janvier 1991 devront répondre à des prescriptions minimales de sécurité couvrant les points suivants : stabilité et solidité des bâtiments, installation électrique, voies et issues de secours, détection et lutte contre l'incendie, aération et température des locaux, éclairage des locaux, planchers, plafonds, murs et toits, voies de circulation et zones dangereuses, escaliers et trottoirs roulants, rampes de chargement, équipements sanitaires, handicapés, etc.

□ Pour les lieux de travail existants, les employeurs disposent d'un délai de cinq ans pour appliquer ces règles minimales.

Prévention, information et formation : les obligations des employeurs (à partir du 1er janvier 1993)

Une directive européenne définit les obligations des employeurs en matière de protection des travailleurs dans l'entreprise (premiers secours, lutte contre l'incendie, évacuation des travailleurs, danger grave et immédiat).

L'employeur est la personne responsable pour la santé et la sécurité des travailleurs dans l'entreprise. Il est tenu de prendre toutes les mesures nécessaires en ce qui concerne la prévention, l'information et la formation sur les risques professionnels.

Travail sur écran (à partir du 1er janvier 1993)

Les employeurs européens devront respecter des normes minimales pour l'utilisation des terminaux d'ordinateur avec écran. Ces normes portent sur les terminaux eux-mêmes (écran, clavier, table et siège de travail) ainsi que sur l'environnement de travail (espace, éclairage, reflets et éblouissements, bruit, chaleur, humidité, etc.). La directive européenne prévoit également que le travail sur écran doit être interrompu au cours de la journée et que les travailleurs doivent pouvoir se faire examiner les yeux.

Manutention de charges lourdes (à partir du 1er janvier 1993)

Les salariés qui doivent porter des charges lourdes comportant des risques lombaires bénéficieront d'une protection uniforme dans toute la CEE. Une directive oblige les employeurs européens à éviter de faire porter des charges lourdes par leurs employés et, lorsque cela est possible, à réduire les risques pour la colonne vertébrale.

NORMES ET SÉCURITÉ EN EUROPE

■ Santé et hygiène du travail

La Communauté met en œuvre actuellement une politique visant à protéger les travailleurs contre les expositions trop nombreuses et trop intenses aux agents chimiques (exposition au plomb, à l'amiante, aux agents cancérigènes, au benzène, au cadmium) et aux agents biologiques nocifs pour la santé.

■ Les accidents de travail dans la Communauté

Des mesures préventives doivent être prises de façon à assurer la meilleure protection possible des travailleurs dans la Communauté. Quatre secteurs présentent des risques supérieurs à la moyenne en matière de santé et de sécurité du travail : le travail en mer, l'agriculture, la construction, les carrières et les mines à ciel ouvert. D'ici à 1993, la Commission européenne fera, pour ces quatre secteurs, des propositions spécifiques afin de mieux protéger les travailleurs.

■ L'harmonisation des normes

D'ici à 1993, les normes techniques relatives aux équipements et produits utilisés sur les lieux de travail seront harmonisées. Des normes minimales européennes seront fixées pour :
— la sécurité des machines, des appareils à pression, des engins de levage et des équipements de construction ;
— la résistance au feu des matériaux ;
— les équipements individuels de protection ;
— la classification et l'étiquetage des préparations dangereuses.

■ Sécurité et productivité dans les mines souterraines de charbon de la Communauté européenne

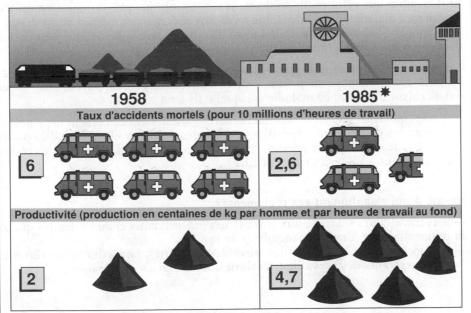

1958 — 1985*

Taux d'accidents mortels (pour 10 millions d'heures de travail)

6 — 2,6

Productivité (production en centaines de kg par homme et par heure de travail au fond)

2 — 4,7

* Dernière année pour laquelle des chiffres comparatifs sont disponibles.

Source : Commission européenne, DG V.

La Sécurité sociale des travailleurs migrants

La Sécurité sociale est toujours gérée par des systèmes nationaux. Toutefois, deux règlements communautaires ont été adoptés pour permettre aux travailleurs de bénéficier de leurs droits sociaux lorsqu'ils se déplacent à l'intérieur de la Communauté.

L'objectif des règlements communautaires

Les règles communautaires ont trois objectifs :

— La non-discrimination : les travailleurs migrants résidant dans l'État-membre où ils sont assurés bénéficient des mêmes droits que les ressortissants de cet État.

— Le cumul des périodes de cotisation : pour l'octroi de prestations sociales dans un pays, il est tenu compte de l'ensemble des périodes d'emploi ou de cotisation accomplies par le travailleur dans d'autres États-membres.

— L'exportation des prestations : tout travailleur assuré dans un État-membre se rendant dans un autre État-membre bénéficie d'une couverture de Sécurité sociale.

Que garantissent ces règlements ?

☐ Les travailleurs, ainsi que les membres de leur famille qui résident dans un autre État-membre que celui où ils sont assurés, ont droit aux prestations en nature de l'assurance maladie-maternité (soins médicaux et dentaires, médicaments, hospitalisation) par l'intermédiaire de la caisse d'assurance-maladie de leur lieu de résidence, comme s'ils y étaient affiliés.

☐ Les prestations en espèce auxquelles les travailleurs ont droit en vertu de la législation de l'État-membre où ils sont assurés leur sont en général payées directement par la caisse d'assurance-maladie à laquelle ils sont affiliés.

☐ A noter que les règlements communautaires garantissent également la protection sociale en cas d'invalidité, de vieillesse, d'accidents de travail, de maladies professionnelles, de chômage, de prestations familiales et de décès pour tous les travailleurs circulant à l'intérieur de la CEE.

A qui s'appliquent ces règlements ?

— Aux travailleurs salariés, aux travailleurs indépendants et aux retraités qui ont la nationalité d'un des États-membres de la CEE.

— Aux membres de la famille des travailleurs salariés, non salariés ou retraités.

— Aux survivants des travailleurs salariés, non salariés et retraités.

■ La jungle des formulaires

Avant leur départ pour un autre État-membre, les travailleurs — qu'ils soient indépendants, salariés en activité ou chômeurs — doivent veiller à disposer de tous les formulaires requis. Sans ces formulaires, ils pourraient perdre leur droit aux prestations ou ne les recevoir qu'avec beaucoup de retard.

■ Pour bénéficier des prestations maladie-maternité

Situation du travailleur	Formulaire à se procurer
• Travailleurs salariés détachés ou indépendants exerçant une activité ne dépassant pas douze mois.	E 101
• Si la durée de travail se prolonge au-delà de douze mois.	E 102
• Si le travailleur réside dans un État-membre autre que celui où il est assuré.	E 106
• Retraité résidant dans un État-membre qui ne lui verse pas de pension.	E 121
• Chômeurs à la recherche d'un emploi dans un autre État-membre.	E 119
• Membre de la famille d'un travailleur en activité résidant dans un État-membre autre que celui où le travailleur est occupé et assuré.	E 109 (le travailleur devra l'envoyer au membre de sa famille)
• Membre de la famille d'un chômeur résidant dans un État-membre autre que celui où le chômeur touche son allocation de chômage.	E 106
• Membre de la famille d'un retraité résidant dans un autre État-membre que lui.	E 122
• Séjour temporaire dans un autre État-membre.	E 111
• Séjour dans un autre État-membre en vue d'y suivre un traitement médical.	E 112 et E 117
• Accidents du travail et maladies professionnelles.	E 123
• Pour continuer à bénéficier de ses allocations de chômage dans l'État d'accueil.	E 301 et E 303 (il faut au préalable être inscrit dans l'État de départ)
• Pour continuer à bénéficier de ses allocations familiales dans l'État d'accueil.	E 401

■ Les allocations familiales : à qui sont-elles payées ?

— En Allemagne, en Grèce, en Espagne, en Italie et au Portugal, les allocations familiales sont en règle générale payées au travailleur.

— Au Danemark, en Irlande, au Luxembourg et au Royaume-Uni, elles sont payées à la mère des enfants.

— En Belgique, en France et aux Pays-Bas, les parents choisissent celui d'entre eux à qui elles devront être versées. Le régime communautaire d'allocations familiales est le même pour les indépendants et pour les salariés. Ainsi, un médecin allemand qui a son domicile professionnel à Strasbourg, mais dont les enfants sont restés en Allemagne, a droit aux allocations françaises.

La lutte contre le chômage

Actuellement, le taux de chômage moyen dans la Communauté est de 9,7 % (7,4 % d'hommes et 12 % de femmes). Cela correspond environ à 16,6 millions de chômeurs dans la Communauté dont plus de 5 millions de jeunes âgés de moins de 25 ans. La recherche de solutions aux problèmes du chômage incombe avant tout aux États-membres, mais des mesures communautaires sont prises pour lutter contre ce fléau.

Le Fonds social européen (FSE)

Par le canal du FSE, la Communauté participe au financement, dans les États-membres, d'actions de formation professionnelle et d'aide à l'embauche dans des emplois nouveaux et stables. Les principaux bénéficiaires de ces aides sont les chômeurs de longue durée (un an et plus) de plus de 25 ans et les jeunes de moins de 25 ans qui ne trouvent pas d'emploi à l'issue de leur scolarité obligatoire.

La formation des jeunes à la vie professionnelle

Les Douze ont lancé un programme quinquennal d'action (1987-1992) pour la formation professionnelle des jeunes et la préparation des jeunes à la vie adulte et professionnelle.

Objectif : assurer à tous les jeunes de la Communauté qui le souhaitent une ou, si possible, deux années ou plus de formation professionnelle en plus de leur scolarité obligatoire à temps plein.

Trouver un emploi grâce au SEDOC

Où qu'il se trouve dans la Communauté, le chômeur peut bénéficier du SEDOC (Système européen de diffusion des offres et des demandes d'emploi enregistrées en compensation internationale). Ce réseau d'information permet la diffusion des listes d'emplois disponibles dans la CEE. Ces listes, actualisées tous les trois mois, sont consultables auprès des agences pour l'emploi des divers pays-membres. Elles recensent profession par profession :

— les offres d'emploi non satisfaites par la main-d'œuvre nationale ;

— les demandeurs d'emploi disposés à occuper un emploi dans un autre pays-membre.

Les droits des chômeurs en Europe

Tout demandeur d'emploi qui se déplace dans un autre pays-membre que le sien, peut continuer à toucher, pendant trois mois, les allocations de chômage que lui versait son pays d'origine. Pour cela, trois conditions doivent être remplies :

— avoir été inscrit au chômage pendant au moins un mois dans le pays où il a travaillé immédiatement avant son départ ;

— s'inscrire au chômage dans le pays d'arrivée sept jours après le départ du pays quitté ;

— emporter le formulaire spécial E 303 délivré par l'organisme qui lui verse habituellement l'allocation de chômage dans le pays où il est assuré socialement.

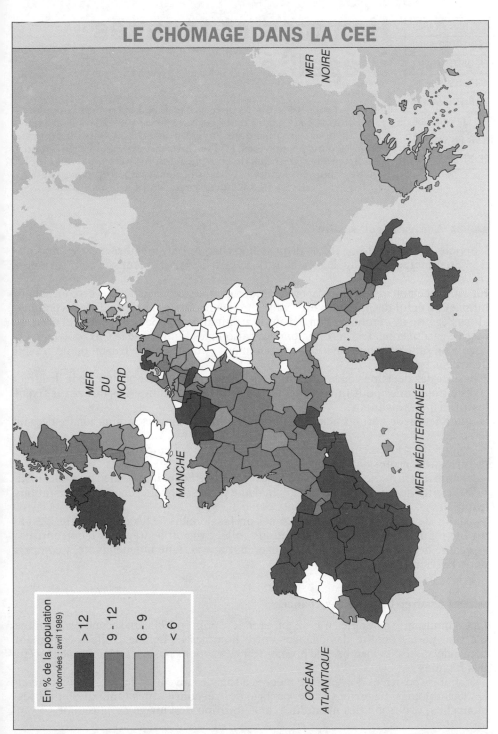

LE CHÔMAGE DANS LA CEE

MER NOIRE

MER DU NORD

MANCHE

MER MÉDITERRANÉE

En % de la population
(données : avril 1989)

> 12

9 - 12

6 - 9

< 6

OCÉAN ATLANTIQUE

Source : CEE

129

Hommes et femmes à égalité

Il y a près de 165 millions de femmes dans la Communauté, dont 52 millions font partie de la population active. Elles représentent 35 % des emplois dans l'agriculture, 23 % dans l'industrie et 46 % dans les services. Malheureusement, les femmes ont été les premières victimes de la crise économique : plus de la moitié des chômeurs dans la CEE sont des femmes et, parmi celles qui travaillent, 84 % sont des travailleurs à temps partiel.

▰▰▰ A travail égal, salaire égal

L'article 119 du traité de Rome dispose que chaque État-membre assure l'application du principe d'égalité de rémunération entre hommes et femmes pour un même travail.

En 1977, une hôtesse de l'air s'aperçoit que sa compagnie aérienne lui verse un salaire inférieur à celui des hommes exerçant la même profession qu'elle. Elle revendique alors l'égalité de rémunération devant le tribunal de son pays qui saisit la Cour de justice européenne. La Cour lui donnera raison : les femmes de la CEE doivent percevoir un salaire identique à celui des hommes pour un même travail ou un travail de valeur égale.

A la suite des décisions de la Cour de justice, les Douze ont adopté une série de directives européennes pour faire respecter les droits des femmes. Ces directives fixent les principes suivants :

— interdiction de tout licenciement abusif résultant d'une discrimination fondée sur le sexe ;

— égalité de traitement en ce qui concerne l'accès à l'emploi, à la formation et à la formation professionnelle ;

— égalité de traitement dans les régimes légaux de Sécurité sociale : maladie, invalidité, vieillesse, accidents du travail, maladie professionnelle, chômage, prestations familiales ;

— égalité de traitement dans les régimes professionnels de Sécurité sociale, c'est-à-dire le régime fondé sur les conventions collectives ou les régimes d'entreprises ;

— égalité de traitement aux femmes exerçant une activité indépendante, y compris dans l'agriculture.

▰▰▰ Assurer l'égalité des chances

La Communauté a adopté en 1982, un premier, puis en 1986, un second programme d'action pour l'égalité des chances entre hommes et femmes. Elle a également demandé aux États-membres de promouvoir des actions positives concrètes en faveur des femmes.

Ces actions positives doivent être menées à tous les niveaux : école, emploi, nouvelles technologies, Sécurité sociale, partage des responsabilités familiales et professionnelles, évolution des mentalités, amélioration de l'image de la femme.

■ Le pourcentage des femmes dans les parlements nationaux

	%
Danemark	29,0
Royaume-Uni	6,3
Irlande	8,4
Pays-Bas	19,3
Allemagne (Rép. féd.)	15,4
Belgique	8,5
Luxembourg	14,6
France	6,4
Suisse	14,0
Italie	12,8
Saint-Marin	10,0
Monaco	11,1
Espagne	6,4
Portugal	7,6

Source : L'Union parlementaire.

■ L'information des femmes

Le Service information femmes de la Commission européenne (direction générale de l'information) organise des colloques, séminaires, études et campagnes d'information en vue d'informer les femmes sur les actions communautaires et de recueillir leur soutien. Il publie également une revue consacrée aux femmes : *Femmes d'Europe*.

■ Quels recours pour les femmes ?

Les femmes disposent de recours légaux en ce qui concerne leurs droits individuels au travail. Il s'agit principalement d'un recours judiciaire devant le tribunal du travail dont elles dépendent. Si une femme s'estime lésée ou discriminée, elle peut également, par simple lettre, déposer plainte auprès de la Commission européenne et dénoncer toute infraction présumée en matière d'égalité hommes-femmes. Si elle estime que le droit communautaire a été violé, la Commission peut décider de poursuivre l'État-membre devant la Cour de justice de Luxembourg.

■ Quelques exemples d'actions positives

— Dans certaines régions d'Allemagne, il a été proposé d'engager et de promouvoir d'abord les femmes dans les services publics ;
— En Belgique, la Régie des télégraphes et téléphones (RTT) a créé un bureau pour l'émancipation des femmes ;
— En Italie, des entreprises publiques ont lancé des projets pour promouvoir le développement professionnel des jeunes femmes diplômées ;
— En Grande-Bretagne, la compagnie Thames Television a mis au point un programme complet pour le progrès de l'égalité des chances : recrutement, promotion, garde d'enfants.

■ Les femmes et le Fonds social européen (FSE)

Le FSE est l'instrument financier communautaire au service de l'emploi. Il cofinance des programmes de formation, de recyclage ou de première embauche sans discrimination de sexe, mais les femmes bénéficient d'une priorité lorsqu'elles reçoivent une formation visant leur réinsertion professionnelle dans des activités où elles sont sous-représentées (comme le secteur des nouvelles technologies par exemple). Les problèmes spécifiques de certaines catégories de femmes (migrantes, femmes isolées) sont également pris en compte par le FSE. En 1987, 1,2 million de femmes ont bénéficié des aides du FSE.

■ La sécurité des femmes enceintes

Les Douze étudient actuellement un projet de directive visant à offrir une protection uniforme aux femmes enceintes et allaitantes sur les lieux de travail.

Les professions libérales

Pour certaines professions libérales « réglementées » et notamment dans le domaine de la santé, la Communauté a adopté des directives propres à chaque profession. Ces directives permettent la reconnaissance mutuelle des diplômes, elles établissent quel est le savoir minimal indispensable à l'exercice de la profession et harmonisent les conditions d'accès à ces professions.

▅▅▅▅ Les professions de la santé

Les médecins (ils sont 800 000 dans la CEE)
— Diplômes reconnus depuis 1976.
— Formation minimale exigée : au moins huit années d'études supérieures (généralistes); formation complémentaire de trois à cinq ans (spécialistes).

Les infirmiers (ères) (ils sont 900 000 dans la CEE)
— Diplômes reconnus depuis 1979.
— Formation minimale exigée : au moins dix années d'école primaire et secondaire et trois années de formation professionnelle dont au moins la moitié est consacrée à l'enseignement clinique et le tiers à l'enseignement théorique.

Les dentistes (ils sont 130 000 dans la CEE)
— Diplômes reconnus depuis 1979.
— Formation minimale exigée : au moins cinq années d'études théoriques à temps plein.

Les sages-femmes
— Diplômes reconnus depuis 1983.
— Formation minimale exigée :
Après le baccalauréat : trois ans de formation à temps plein ;
Sans baccalauréat : trois ans de formation + expérience de deux ans en hôpital ;
Avec un diplôme d'infirmière : dix-huit mois de formation + expérience d'un an en hôpital.

Les pharmaciens
— Diplômes reconnus depuis 1987 (sauf en Grèce, 1993);
— Formation minimale exigée : au moins quatre années d'enseignement supérieur suivies d'un stage de six mois dans une pharmacie ouverte au public.
NB : Avant de s'installer, certaines précautions sont à prendre en ce qui concerne l'implantation géographique des officines. En effet, les États-membres restent maîtres de ne pas autoriser l'ouverture d'une nouvelle officine.

Les vétérinaires (ils sont 58 000 dans la CEE)
— Diplômes reconnus depuis 1980.
— Formation minimale exigée : au moins cinq années d'études supérieures.

■ Les professions de la santé

Établissement et prestations de service

Pour exercer dans un autre pays de la CEE, l'affiliation à un ordre professionnel (Ordre des médecins par exemple) peut être requise. En revanche, s'il s'agit d'une prestation occasionnelle ou à durée limitée, l'État-membre d'accueil peut dispenser le praticien de cette obligation. Toutefois, il peut exiger une attestation certifiant que le médecin exerce légalement dans l'État où il est établi et qu'il possède les diplômes requis. En cas de prestations de service, le praticien n'est pas tenu d'être inscrit à un organisme de Sécurité sociale dans le pays d'accueil. NB : Les médecins, infirmiers (ères), dentistes, sage-femmes et les vétérinaires ont la possibilité de chercher un emploi de *salarié* en Espagne et au Portugal depuis le 1er janvier 1993.

■ Les autres professions

Les architectes

Depuis 1987, les architectes ont la liberté de s'établir à titre permanent ou d'exercer, sous forme de simple prestation de service occasionnelle, dans tous les pays-membres. Pour être reconnues, les formations doivent correspondre à un enseignement universitaire, dont l'architecture constitue la matière principale. La durée minimale des études doit être de quatre années à temps plein ou d'au moins six années à temps partiel, dont au moins trois années à temps plein.

Les avocats

Les avocats bénéficient du droit d'établissement depuis le 4 janvier 1991. Ils peuvent non seulement plaider à titre occasionnel dans toute la Communauté, mais également s'installer à titre définitif dans le pays de leur choix. Lorsqu'un avocat souhaite défendre un client dans un autre État-membre, il est soumis à la double déontologie de son État d'accueil et de son État de provenance. Certains États-membres peuvent lui imposer d'agir de concert avec un confrère exerçant auprès de la juridiction concernée. C'est le cas en RFA. Dans ses activités de consultation juridique, l'avocat est tenu de respecter les règles du pays d'accueil en ce qui concerne le secret professionnel et la publicité.

■ La reconnaissance mutuelle des diplômes pour les professions libérales réglementées

Depuis le 4 janvier 1991, les titulaires d'un diplôme délivré au moins trois ans après le baccalauréat peuvent exercer leur profession dans n'importe quel pays de la CEE. Chaque État reconnaît le diplôme délivré par un autre État-membre pour l'exercice d'une profession équivalente et ne peut refuser d'accueillir un diplômé européen en prétextant une qualification insuffisante. Il peut toutefois exiger que le demandeur se soumette à une épreuve pratique ou accomplisse un stage d'adaptation en cas de différences de formation trop importantes.

La reconnaissance mutuelle des diplômes couvre les professions suivantes :

● **Professions de santé** : infirmières toutes catégories, orthophonistes, ergothérapeutes, masseurs-kinésithérapeutes, orthoptistes, psychologues, psychomotriciens, assistantes sociales, professeurs de jeunes sourds et de jeunes aveugles.

● **Professions juridiques** : avocats, avoués, conseils juridiques, commissaires aux comptes, experts comptables, commissaires priseurs, notaires, greffiers de tribunaux de commerce, huissiers de justice, mandataires liquidateurs, administrateurs judiciaires.

● **et aussi** : ingénieurs civils, guides conférenciers, interprètes, officiers de marine marchande, fonctionnaires A, géomètres experts, enseignants.

Prendre sa retraite

Les citoyens de la Communauté peuvent passer leur retraite dans l'État-membre de leur choix, à condition d'avoir travaillé dans la CEE. En 2020, 31 % des Européens auront plus de 65 ans.

▬▬▬ Rester dans un pays après y avoir travaillé

Indépendamment de son pays d'origine, un citoyen d'un État-membre peut passer sa retraite dans le pays de la CEE où il a travaillé et y obtenir le paiement d'une pension à condition d'avoir atteint l'âge prévu par la législation de l'État d'accueil pour faire valoir ses droits à une pension de vieillesse.

▬▬▬ Un droit de séjour à titre permanent

□ Depuis le 30 juin 1992, un retraité qui a exercé dans la Communauté une activité salariée ou non salariée peut séjourner à titre permanent dans n'importe quel État-membre, à condition qu'il bénéficie :
— soit d'une pension d'invalidité, de préretraite ou de vieillesse ;
— soit d'une rente d'accident de travail ou de maladie professionnelle.

□ Il doit également disposer d'une assurance maladie ou de ressources suffisantes pour qu'il ne devienne pas, pendant son séjour, une charge pour l'assistance sociale de l'État d'accueil. Moyennant ces conditions, l'État-membre d'accueil délivre une carte de séjour valable cinq ans et renouvelable.

□ Le droit de séjour est également octroyé aux membres de la famille du retraité.

▬▬▬ Les pensions

□ Les droits à pension de retraite acquis dans l'un des États-membres bénéficient au travailleur, même s'il change de pays. Les pensions de retraite qui sont dues au travailleur sont payables dans tous les États-membres de la CEE, qu'il y ait été assuré ou non.
Deux exceptions :
— En ce qui concerne les retraites complémentaires, il semble que le paiement dans un autre pays s'effectue sans problèmes, mais rien n'est prévu dans les règlements communautaires.
— Les pensions de retraite d'une administration publique ou de fonctionnaire national ne peuvent pas être versées dans un pays autre que celui où le fonctionnaire a travaillé.

□ Si le travailleur n'a pas été assuré durant suffisamment longtemps dans un État-membre pour obtenir une pension, il est alors tenu compte de la durée de son assurance dans les autres États-membres. Chaque État lui accorde alors une fraction de pension correspondant à la durée de son assurance sur son territoire.

LES RÉGIMES DE RETRAITE COMMUNAUTAIRES

	Âge de la retraite	Anticipation	Conditions	Pensions minimales en ECU	Pensions maximales en ECU	Coût	Pension par répartition	Pension auto-assurée (Book reserves)	Pension assurée	Caisse autonome	Coût minimal obligatoire	Déductibilité des régimes complémentaires
	RETRAITE DE BASE						**RETRAITE COMPLÉMENTAIRE**					
B	H 65 / F 60	60 / 60	45 ans de cotisations	5 820	26 120	16,36 %	NON	NON	OUI	OUI	0	OUI
DK	H 67 / F 67	55/60	40 ans de cotisations	9 250 (3) taux uniforme		Impôts revenu	NON	NON	OUI (4)	OUI	220 ECU	OUI
F	H 65 / F 65	60	37,5 ans de cotisations	4 500	8 665	14,80 % plafond	OUI	NON	OUI	NON	13,20 B / 4,80 A / 9,60 C	Limitée
D	H 65 / F 65	60/63	35 ans de cotisations		26 076	19,20 % plafond (5)	NON	OUI	OUI	OUI	0	OUI
GR	H 65 / F 60	62 / 57	35 ans de cotisations	3 540	11 400	14,25 % plafond (5)	NON	NON	OUI	RARE	0	OUI
IRL	H 65 / F 65	NON	conditions part. (2)	6 495 (3) taux uniforme		16,80 % plafond (5)	NON	NON	OUI	OUI	0	OUI
I	INPS H 60 / F 55 — INPDAI 65 / 60	INPS 55 / 55 | INPDAI 55	INPS 40 ans / INPDAI 30 ans	3 304	20 450 / 27 325	24,15 % (5)	OUI	NON	OUI	OUI	15 % plafond	OUI
L	H 65 / F 65	60	40 ans de cotisations	6 430	24 922	16 % plafond (5)	NON	OUI	OUI	OUI	0	Limitée
NL	H 65 / F 65	NON	50 ans d'assurances	4 128 à 8 236 taux uniforme		11,50 %	NON	OUI	OUI	OUI	0	Limitée
P	H 65 / F 62	NON	37 ans de cotisations	994	80 % du sal. total	35,5 % illimité (6)	NON	OUI	OUI (4)	OUI	0	OUI
SP	H 65 / F 65	60	35 ans de cotisations	3 800	18 075	28,8 % plafond (6)	NON	OUI	OUI	OUI	0	Limitée
UK	H 65 / F 60	NON	36 ans de cotisations	4 775	7 413	13,15 % plafond	NON	NON	OUI	OUI	0	Limitée

(1) INPS salariés non-cadres H 60 F SS - INPDAI salaires cadres H 65 F 60.
(2) 156 semaines cotisées avant 65 ans. En moyenne minimum de 24 semaines/an cotisées sur carrière.
(3) Pour un homme ou une femme mariée.
(4) Plans de pension complémentaires autorisés auprès des banques.
(5) Risque invalidité inclus.
(6) Décès, invalidité, maladie, maternité, allocations familiales inclus.

Les Échos du Parlement européen, n° 35, 1988.

L'EUROPE PAR ÉTAPES
PASSER LES FRONTIÈRES
LES INSTITUTIONS
LES GRANDS ENJEUX
LA FORMATION
L'EUROPE ÉCONOMIQUE
TRAVAILLER EN EUROPE
L'EUROPE ET LE MONDE

La politique étrangère de la Communauté

L'Acte unique européen a donné à la Communauté une dimension politique, en instituant la Coopération politique européenne. Le traité de Maastricht transforme la CPE en véritable Politique étrangère et de sécurité commune (PESC).

▬▬▬ Les objectifs de la PESC

La Politique étrangère et de sécurité de l'union européenne poursuit cinq objectifs :
— la sauvegarde des valeurs communes, des intérêts fondamentaux et de l'indépendance de l'Union ;
— le renforcement de la sécurité de l'Union et de ses États-membres ;
— le maintien de la paix et le renforcement de la sécurité internationale ;
— la promotion de la coopération internationale ;
— le développement de la démocratie et de l'État de droit, ainsi que le respect des droits de l'homme et des libertés fondamentales.

▬▬▬ Les moyens dont dispose la PESC

La mise en œuvre de la PESC se fera *via* :
— une coopération systématique des États-membres (information mutuelle, respect des décisions de l'Union...) ;
— la coordination des États-membres au sein des organisations internationales dans lesquelles ils siègent (ex. : ONU, OTAN...) ;
— la possibilité pour le Conseil des ministres d'adopter des actions communes, sur la base d'orientations générales décidées par le Conseil européen. Ces actions communes seront normalement adoptées à l'unanimité, sauf décision du Conseil des ministres de passer, au cas par cas, à la majorité qualifiée ;
— la coordination des missions diplomatiques et consulaires des États-membres et des délégations de la Communauté à l'étranger pour assurer le respect et la mise en œuvre des actions communes.

▬▬▬ Les compétences de la PESC

☐ La compétence de l'Union sur les questions de sécurité est clairement affirmée. Elle doit déboucher sur « la définition, à terme, d'une politique de défense commune, qui pourrait conduire, le moment venu, à une défense commune ». L'Union s'appuiera, pour la mise en œuvre des décisions ayant des implications militaires, sur les structures de l'Union de l'Europe occidentale (UEO)[1]. Une déclaration annexe au traité pose le principe que tout membre de l'Union européenne pourra devenir membre à part entière de l'UEO (la Grèce est candidate), ou en devenir observateur (l'Irlande est tentée), et que tout pays européen membre de l'OTAN pourra en devenir membre associé (la Turquie, l'Islande et la Norvège sont intéressées).

☐ Le traité de Maastricht prend soin de ne pas remettre en cause les engagements de certains des États-membres de l'Union au sein de l'OTAN, et ne fait pas obstacle à la poursuite ou au développement de liens plus étroits entre certains États, soit sur un plan bilatéral (ex. : la coopération militaire franco-allemande), soit au sein d'organisations multilatérales spécifiques.

(1) L'Union de l'Europe occidentale est une organisation internationale visant à coordonner les politiques de défense des pays européens occidentaux. Elle regroupe 9 pays, tous membres de la CEE : Belgique, Pays-Bas, Luxembourg, Royaume-Uni, France, Italie, Allemagne, Espagne et Portugal.

■ Les grands dossiers de la CPE

• Les droits de l'homme : les Douze ont adopté en 1986 une déclaration commune sur le respect des droits de l'homme, principe qu'ils s'engagent à défendre et à promouvoir. Les ministres des Affaires étrangères présentent au Parlement européen un rapport annuel et répondent aux nombreuses questions parlementaires sur ce domaine. Un exemple concret d'action communautaire en matière de droits de l'homme : l'Afrique du Sud. Les Douze, tout en ayant salué le processus de démantèlement de l'apartheid, continuent de fournir une assistance financière aux ONG qui viennent en aide aux Noirs d'Afrique du Sud (80 millions d'ECU en 1992).

• Sécurité et coopération en Europe : les Douze suivent les travaux de la Conférence sur la sécurité et la coopération en Europe (CSCE), qui a donné lieu en 1975 à la convention d'Helsinki, comportant en particulier la fameuse troisième « corbeille » sur les droits de l'homme et les questions humanitaires. De nombreuses conférences d'évaluation et d'approfondissement ont eu lieu depuis, dont, par exemple, en 1991, la conférence de Cracovie sur le patrimoine culturel, ou celle de Genève sur les minorités nationales.

• Les conflits locaux : la Communauté suit de près leur évolution, notamment ceux :
— du Moyen-Orient, au sujet duquel les Douze basent leur attitude sur deux principes affirmés dès 1980 lors du conseil européen de Venise : le droit de tous les États de la région, y inclus Israël, d'exister à l'intérieur de frontières sûres, et le droit du peuple palestinien à l'autodétermination. La CEE fournit une aide économique aux populations des territoires occupés. Elle a également décidé un gel complet des échanges commerciaux avec l'Irak en août 1990, pour protester contre l'invasion du Koweit par ce dernier.
— d'Amérique centrale : les Douze soutiennent les efforts du groupe de Contadora en vue d'une solution pacifique aux conflits qui secouent cette région. Ils ont établi un dialogue politique régulier à haut niveau avec les pays sud et centre-américains, et fournissent une aide financière et technique aux organisations visant à l'intégration économique de la région.
— de la Yougoslavie : les États-membres ont reconnu les nouveaux États sécessionnistes de l'ex-Yougoslavie (à l'exception de la Macédoine), et la Communauté a entamé une coopération économique et financière avec eux. Elle a par ailleurs pris des sanctions économiques contre la Serbie.

La CEE, première puissance commerciale mondiale

Assurant plus de 15 % des exportations et des importations mondiales, la CEE est la première puissance commerciale de la planète. Forte d'une compétence pleine et entière, en lieu et place de ses États-membres, elle mène au nom des Douze les négociations commerciales internationales.

La CEE, première puissance exportatrice et importatrice du monde

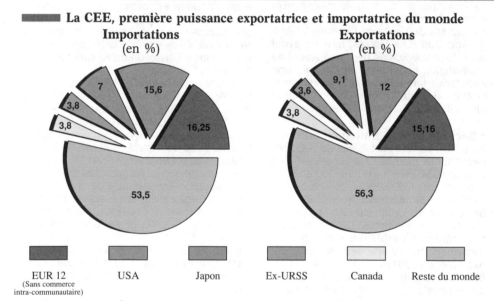

Importations (en %)

15,6
7
3,8
3,8
16,25
53,5

Exportations (en %)

9,1
3,6
3,8
12
15,16
56,3

EUR 12 (Sans commerce intra-communautaire)   USA   Japon   Ex-URSS   Canada   Reste du monde

Graphique comparatif avec ses principaux partenaires

Source : « le Dossier de l'Europe », n° 3/4/1989, *Commission des Communautés*, OPOCE, mars 1989. Mis à jour par « Statistiques de base de la Communauté », Eurostat, éd. 1991.

Les accords commerciaux liant la CEE

La Communauté a signé des accords de coopération commerciale avec la plupart des pays. Il peut s'agir d'accords sectoriels, portant sur les conditions d'échanges (contingents, droits de douane...) de tel ou tel produit (les accords textiles sont particulièrement nombreux), ou d'accords globaux, par lesquels les deux parties s'accordent souvent le bénéfice de la clause de la nation la plus favorisée.

On entend par cette clause la disposition en vertu de laquelle un État accorde à un autre le bénéfice du régime (douanier, commercial, fiscal...) le plus favorable qu'il accorde à celui de ses autres partenaires qu'il traite le mieux.

Les accords globaux les plus récents ont été conclus avec les pays de l'Est et avec les États du golfe Persique.

LA CEE ET L'EXPORTATION

■ La CEE, une union douanière

La Communauté est une union douanière, c'est-à-dire qu'un même et unique « Tarif douanier commun » (TDC) s'applique aux importations sur son territoire : une marchandise importée dans la Communauté, qu'elle entre à Marseille, Hambourg ou Lisbonne, est répertoriée selon la même nomenclature tarifaire, et est frappée du même droit de douane.

■ La CEE et les pratiques de dumping

Le dumping consiste, pour un pays, en la vente à perte d'un produit, afin d'en mieux pénétrer le marché chez ses concurrents. Certains octroient aussi des subventions à leurs exportations pour les rendre plus compétitives. La CEE s'est dotée d'armes pour lutter contre ces pratiques : elle frappe les produits, dont elle estime qu'ils font l'objet d'un dumping ou d'une subvention, de droits compensateurs qui rétablissent les conditions de concurrence avec les produits communautaires.

Les pays les plus souvent frappés de droits antidumping ou antisubvention sont ceux du Sud-Est asiatique et le Japon, essentiellement pour du matériel électronique et audiovisuel, mais aussi les pays de l'Est, pour des produits chimiques et textiles, et certains pays latino-américains (Brésil, Mexique, Venezuela, etc.), pour divers produits chimiques et métallurgiques.

■ La CEE et le GATT

Le GATT (*General Agreement on Tariffs and Trade*) est une organisation internationale basée à Genève, qui regroupe 92 États. Il a pour vocation de libéraliser le plus largement possible les conditions des échanges commerciaux internationaux. Il progresse en ce sens par des cycles de négociations, appelés « rounds », dont les deux derniers ont été le « Kennedy Round » en 1964/1967, et le « Tokyo Round » en 1973/1979. Un nouveau round a été ouvert à Punta del Este, en Uruguay, en 1986. L'« Uruguay Round » a étendu les règles du commerce international à des secteurs qui jusqu'à présent n'avaient pas fait l'objet de négociations multilatérales de ce type : les services, les investissements, les règles de propriété intellectuelle, liés au commerce par exemple. La question des subventions agricoles, dont certains pays estiment qu'elles faussent les courants commerciaux, est également au centre des discussions : la CEE a accepté, en novembre 1990, de réduire de 30 % sur 10 ans ses soutiens à l'agriculture européenne.

■ Une véritable politique communautaire d'exportation

La CEE s'est dotée d'instruments originaux pour aider ses exportateurs à pénétrer les marchés des pays tiers. On peut citer, entre autres :

Instruments	Finalité
Système harmonisé d'assurance et de crédits à l'exportation	Mettre toutes les entreprises communautaires à égalité de chances sur les marchés des pays tiers, en accordant à toutes des polices d'assurance et des crédits à l'exportation comparables.
Programme de promotion des exportations (« PROM-EXPORT »)	Financer des actions de promotion et de promotion commerciale sous la bannière communautaire (participation à des foires internationales, études de marché, missions d'hommes d'affaires, etc.).
Programme EEC Investment Partners	Permettre aux entreprises communautaires de trouver des partenaires locaux pour investir et s'installer dans des pays tiers : joint-ventures, capitaux à risque, études de faisabilité. Cette action se concentre sur les pays méditerranéens, d'Asie et d'Amérique latine.

La CEE et les États-Unis

Les États-Unis absorbent près de 18 % des exportations de la CEE et concourent pour près de 24 % à ses importations. Ils sont son premier partenaire commercial. Mais le déficit commercial chronique des États-Unis vis-à-vis du monde entier (autour de 100 milliards d'ECU), en fait un partenaire agressif, désireux de recouvrer ses parts de marché.

La politique commerciale des États-Unis est caractérisée par une nette tendance au protectionnisme et à l'agressivité commerciale sur les marchés des pays tiers.

L'agressivité des États-Unis vis-à-vis des pays tiers

Les instruments de politique commerciale des États-Unis sont particulièrement redoutables :
La section 301 du *Trade Act* de 1988 prévoit la dénonciation unilatérale des pratiques commerciales des pays tiers jugées déloyales par les États-Unis, et l'extraterritorialité pour les sanctions en cas de violation condamnée des règles américaines de contrôle des exportations.
La section « super 301 » donne au Département du commerce américain la possibilité d'identifier les pays dont les pratiques commerciales sont jugées les plus déloyales et d'entamer avec ces pays des négociations forcées assorties de menaces de représailles en cas d'échec. La section « special 301 » lui donne les mêmes moyens en matière de propriété intellectuelle.
Bref, les États-Unis se donnent le droit de dénoncer et de sanctionner unilatéralement ce qu'ils estiment être illégal, en violation des principes les plus élémentaires du commerce international et du GATT, organisation multilatérale précisément chargée d'arbitrer ce type de litiges.

Le protectionnisme des États-Unis

La CEE dénonce nombre de lois et pratiques américaines à forte connotation protectionniste, telles :
— la perception de droits sur l'arrivée de passagers sur le territoire américain et de navires débarquant ou faisant escale dans leurs ports. Ils coûtent près de 260 millions de dollars par an à la CEE ;
— le « Buy American Act » de 1933, enjoignant aux administrations de donner la préférence aux fournisseurs américains dans les marchés publics ;
— les règles de délivrance des licences d'importation : lorsque les États-Unis décident d'imposer des restrictions sur les importations de tel ou tel produit, ils mettent en place un système de licence d'importation. Or la condition nécessaire, mais pas suffisante, pour l'octroi d'une telle licence est que la marchandise soit examinée par les autorités douanières américaines. Autrement dit, les importateurs doivent transporter sur place leurs produits, sans garantie de pouvoir finalement les commercialiser !

ACCORDS ET DÉSACCORDS

■ L'agriculture : une pomme de discorde

L'agriculture constitue le principal foyer de discorde entre les États-Unis et la CEE : les premiers reprochent à la Politique agricole commune (PAC) de protéger abusivement, par ses mécanismes de prélèvements agricoles et de prix garantis, les agriculteurs européens, et d'ôter aux producteurs américains des marchés sur les pays tiers, par le biais du mécanisme des restitutions (subventions) aux exportations, qui rendraient ces dernières artificiellement compétitives. Mais les États-Unis se sont lancés dans le subventionnement massif de leurs exportations agricoles, notamment avec un programme baptisé « Export Enhancement Programm », doté de plus de 3,3 milliards de dollars sur la période 1991/1993, qui a fait perdre à la CEE nombre de ses marchés traditionnels, en Afrique et au Moyen-Orient en particulier.

En outre, les Américains ont une approche très protectionniste de l'agriculture : plusieurs produits sont encore soumis à des quotas d'importation, dont les fromages, les crèmes glacées et les sirops. D'une façon plus générale, une loi de 1933 les autorise à restreindre les importations de tout produit agricole susceptible de menacer le bon déroulement des programmes de développement agricole américains.

Enfin, leur législation sur les appellations d'origine est très laxiste à l'égard de leurs viticulteurs : ceux-ci peuvent parfaitement baptiser leurs vins de Bourgogne, Chablis, Champagne, Porto, Sauternes, Sherry, Marsala, Chianti, etc., malgré les protestations répétées de la CEE.

■ Le différend sur les oléagineux

Après bien des conflits commerciaux aujourd'hui plus ou moins réglés, sur les pâtes, les agrumes, le maïs, les hormones, etc., le conflit le plus récent entre les USA et la CEE porte sur les oléagineux. Les USA reprochaient à la Communauté son régime de soutien à ses productions oléagineuses, qui, selon eux, faussait les conditions de concurrence sur ce marché. Les USA ont une première fois porté plainte au GATT, en 1990. La Communauté, condamnée, révisa sa politique de soutien — mais pas suffisamment aux yeux des USA, qui décidèrent en novembre 1992 de mesures unilatérales de rétorsion, sous forme essentiellement de droits de douane, pour un montant de 300 millions de $.

Finalement, un accord a été signé en décembre 1992, dans le cadre des négociations globales sur le GATT, par lequel la Communauté consent à revoir à la baisse son système de soutien aux oléagineux, et octroie aux USA un quota d'importation à droits de douane réduits de 500 000 tonnes de grains américains vers le Portugal.

Tout n'est peut-être pas fini pour autant, puisque la France conteste une disposition de l'accord consistant à instaurer dans la Communauté un plafond de production de sous-produits oléagineux à des fins industrielles et entend tout mettre en œuvre auprès de ses partenaires pour bloquer l'accord...

■ Le « Global Partnership »

Le côté spectaculaire des différends entre la CEE et les États-Unis ne doit pas masquer la bonne santé générale des relations entre les deux partenaires. L'idée du « Global Partnership » (Alliance globale), lancée fin 1989, en vue de renforcer la coopération euro-américaine dans les domaines d'intérêt commun, a fait son chemin, concrétisée notamment par des travaux communs sur les normes industrielles et alimentaires, l'étiquetage des denrées, les exigences sanitaires pour les produits de la pêche, la reconnaissance mutuelle des essais et certifications de produits, la protection des données informatiques, la coopération sur les valeurs mobilières, la recherche scientifique prénormative, l'environnement. Dans le domaine de la concurrence, un accord a même été signé pour éviter les conflits de juridiction dans l'application des règles antitrust.

La CEE et le Japon

La CEE enregistre un déficit constant dans ses relations commerciales avec le Japon. La politique communautaire à l'égard du Japon est donc axée sur la volonté d'un rééquilibrage des relations.

▰▰▰ Le déficit commercial de la CEE : les données du problème

Le déficit est chronique depuis quinze ans. Il a atteint le chiffre record de 31,2 milliards de $ en 1992. Il ne pourra diminuer de façon significative que si les exportations de la CEE vers le Japon augmentent deux fois et demie plus vite que les exportations japonaises vers la CEE! Les raisons du déficit sont multiples : il faut évidemment mentionner le manque de compétitivité des entreprises européennes face à leurs homologues japonaises, mais aussi des raisons plus profondes tenant à la structure de l'économie japonaise :

— une croissance tenant plus aux exportations qu'aux progrès de la demande intérieure ;

— le secteur de la distribution contrôlé par les entreprises de production qui lui imposent en conséquence leurs produits ;

— des barrières administratives et techniques multiples aux importations ;

— une méfiance psychologique à l'égard des produits non japonais.

▰▰▰ Les investissements japonais en Europe

Le rapport entre les investissements japonais dans la CEE et communautaires au Japon est de 15 à 1, en faveur du Japon. La valeur cumulée des investissements directs japonais dans la CEE sur la période 1951-1988 s'élève à 27 972 millions de dollars. On comptait, fin 1989, 411 unités de production industrielle japonaises en Europe occidentale, dont 389 dans la CEE. Là aussi, un rééquilibrage s'impose. Un centre de coopération industrielle CEE/Japon a été ouvert à Tokyo, destiné à favoriser les contacts entre industriels européens et japonais, et ainsi aider à l'implantation des entreprises européennes par l'intermédiaire de partenaires locaux.

▰▰▰ La coopération scientifique et technique

☐ Sur certains dossiers, telle la mise au point de la télévision à haute définition (TVHD), la CEE et le Japon sont en concurrence directe. Sur d'autres, une coopération s'est engagée, notamment sur la fusion thermonucléaire contrôlée, les biotechnologies et les télécommunications.

☐ Un programme pilote d'échanges de jeunes scientifiques a été lancé, leur donnant la possibilité d'effectuer des stages de douze à dix-huit mois dans des laboratoires de recherche japonais.

EXPORTATIONS ET IMPORTATIONS

■ Ce que la CEE vend au Japon, ce que le Japon lui vend

(*Source* : Les relations CEE/Japon, note de la Commission des Communautés)

Les exportations japonaises vers la CEE (*)	
— produits chimiques	: 9,7 %
— équipements bureautique	: 11,3 %
— magnétoscopes	: 2,5 %
— caméras de TV	: 3,1 %
— matériel hifi	: 4,5 %
— télécommunications	: 3,5 %
— composants électroniques	: 3,7 %
— véhicules à moteur	: 16,4 %
— matériel scientifique et optique	: 7,5 %
— autres	: 37,8 %
— total	: 100,0 %

Les exportations communautaires vers le Japon (*)	
— agro-alimentaire	: 10,0 %
— produits pharmaceutiques	: 5,3 %
— produits chimiques	: 15,4 %
— véhicules à moteur	: 11,0 %
— textile	: 7,3 %
— métaux non ferreux	: 3,7 %
— autres	: 47,4 %
— total	: 100,0 %

(*) Par type de produit, en pourcentage du total des exportations.

■ Briser le protectionnisme japonais

La CEE a entrepris des négociations ou des démarches auprès du GATT pour faire tomber les obstacles les plus manifestes aux importations communautaires. Ses efforts sont en bonne voie dans beaucoup de secteurs.

Dans d'autres secteurs posant problème, des discussions sont en cours : services financiers, produits laitiers, marchés publics...

Quelques exemples :

Les vins et alcools : la fiscalité japonaise sur les vins et alcools importés, particulièrement pénalisante, a été condamnée par le GATT. Le Japon l'a modifiée en conséquence en 1989.

Les cosmétiques : le Japon a simplifié ses procédures de certification et d'admission des nouveaux cosmétiques sur son marché.

Les appareils médicaux : les Japonais ont réduit la durée de la procédure de réception des nouveaux appareils médicaux sur leur marché.

Eaux minérales : le Japon reconnaît depuis 1990 l'équivalence de sa législation avec la réglementation européenne sur l'exploitation et la commercialisation des eaux minérales. Les eaux produites en Europe en conformité à cette réglementation peuvent donc être exportées vers le Japon.

■ Encourager les entreprises européennes à exporter au Japon

Stages : la CEE finance, à l'intention des cadres d'entreprise désireux de s'implanter sur le marché japonais, des stages dans des entreprises japonaises. Les stagiaires, sélectionnés une fois par an, partent pour 18 mois. La Communauté leur alloue une bourse de 90 000 ECU.

Banque de données : la CEE diffuse une base de données sur les derniers développements technologiques et scientifiques au Japon.

Promotion des produits européens : la Communauté a lancé en 1990 un programme de promotion des produits européens auprès des consommateurs japonais : campagne de publicité, études de marché, actions pilotes dans 4 secteurs cibles : meubles de maison, bijouterie, instrument d'analyse et de mesure, produits diététiques.

La CEE et les pays de l'Est

Après une longue période d'ignorance mutuelle, la vague de réformes à l'Est a permis le développement « tous azimuts » des relations entre la CEE et les pays de l'Est : une coopération intense se dessine.

Une coopération globale

☐ La Pologne, la Hongrie et la Tchécoslovaquie sont d'ores et déjà liées à la Communauté par un accord « européen », préparatoire à une éventuelle adhésion. Une union douanière sera établie avant 1996, et une zone de libre-échange instaurée en 10 ans (1993-2003), dans laquelle les biens, les services, les personnes et les capitaux circuleront librement. Un dialogue politique et une coopération culturelle complètent ces dispositions.

☐ Des accords de même type entreront en vigueur courant 1993 avec la Roumanie et la Bulgarie. Les pays Baltes sont liés depuis 1992 à la Communauté par des accords de coopération économique et commerciale : clause de la nation la plus favorisée, suppression progressive par la Communauté des obstacles quantitatifs aux importations, échanges d'informations, contacts entre entreprises, création d'entreprises communes, promotion et protection des investissements réciproques... L'Albanie et la Slovénie bénéficieront prochainement d'accords identiques.

Restructurer les économies des pays de l'Est

La CEE s'est vue confier la gestion de l'opération Phare, décidée par les 24 pays de l'OCDE pour aider les pays de l'Est à restructurer leurs économies. Quatre domaines sont privilégiés : l'environnement, l'industrie et l'investissement, la formation et l'agriculture. La Pologne et la Hongrie, premiers bénéficiaires, ont été rejoints en 1990 par la Bulgarie, la Roumanie et la Tchécoslovaquie.

Phare a vu son budget croître régulièrement : 500 millions d'ECU en 1990, 872 millions en 1991, et plus de 1 milliard d'ECU en 1992 et 1993. Par ailleurs, la CEI bénéficie d'un programme d'assistance spécifique, doté de 547 millions d'ECU sur la période 1991/1992, portant sur les secteurs de la formation, de la gestion, de l'énergie, des services financiers, des transports et de la distribution des denrées alimentaires. Ce programme doit être étendu à l'Albanie, la Slovénie, la Croatie, et aux pays Baltes.

L'autre priorité : l'éducation et la formation

Tempus est un programme d'assistance aux systèmes éducatifs des pays de l'Est. Il finance des projets d'éducation et de formation montés en commun par des universités et/ou des entreprises communautaires et d'Europe de l'Est (stages, cours communs, échanges de professeurs et d'étudiants). Les domaines prioritaires sont : la gestion, l'économie appliquée, les sciences sociales et économiques, la technologie, les langues européennes vivantes, l'agriculture et l'agro-industrie, l'environnement.

AIDES ET ÉCHANGES

■ La Banque européenne pour la reconstruction et le développement (BERD)

La BERD a commencé ses activités le 15 avril 1991. Elle finance, dans des conditions avantageuses, des projets contribuant à la restructuration et au développement des économies des pays de l'Est, CEI incluse. Son capital, d'un montant de 10 milliards d'ECU, est ventilé comme suit :

CEE + États-membres + Banque européenne d'investissement	51 %
USA	10 %
Pays de l'Association européenne de libre échange (AELE) + autres pays européens	11 %
Pays de l'Est	13 %
Autres pays occidentaux non européens	15 %

■ Les pays de l'Est et le Conseil de l'Europe

Le Conseil de l'Europe, basé à Strasbourg, regroupe 27 pays européens, dont les 12 de la Communauté. Organisation beaucoup plus légère que cette dernière, il a pour vocation de faire coopérer ses membres dans de nombreux domaines, de l'éducation à l'audiovisuel, de la culture aux droits de l'homme.

La Hongrie, La Pologne, la Tchécoslovaquie et la Bulgarie ont adhéré en 1990, 1991 ou 1992. La Russie est candidate. En outre, le Conseil de l'Europe a pris l'initiative de l'opération Démosthène : il s'agit de fournir une assistance et une expertise aux pays de l'Est dans leurs efforts de réforme administrative et juridique, notamment dans les domaines où il existe de véritables vides juridiques, tels le droit de la propriété.

Enfin, plusieurs pays de l'Est adhèrent à des conventions dites «ouvertes» (à la signature de pays non membres) du Conseil de l'Europe. L'exemple le plus significatif est sans doute la convention Eurimage qui vise à soutenir la création audiovisuelle en Europe.

■ Et la CSCE

La Conférence sur la sécurité et la coopération en Europe (CSCE) réunit 51 pays, avec pour objectif de réduire les risques de conflit armé en Europe par le biais d'une coopération politique, culturelle et humanitaire. L'Acte final d'Helsinki en 1975 a été sa première réalisation concrète. Les bouleversements politiques à l'Est ont conduit à renforcer singulièrement son rôle, et l'action de la Communauté en son sein. La CSCE et/ou le Conseil de l'Europe pourrai(en)t être ainsi le(s) pilier(s) d'une future «Confédération européenne» que certains pays appellent de leurs vœux.

■ Les financements octroyés par Phare en 1991

en millions d'ECU

Pays bénéficiaire	Divers	Agri-culture	Éduca-tion	Environ-nement	Système financier	Industrie	Infra-structure	PME	Secteur social	Aide huma-nitaire	Total
Albanie	1,0	—	0	0	—	—	—	—	0	10	11
Bulgarie	—	25	5	7,5	10	20	5	—	2,5	20	95
Hongrie	13,0	13	12	10	9	47	7	4	0	0	115
Pologne	10,5	17	14,5	35	16	50	10	6	38	0	197
Roumanie	22	34	10	—	—	—	9	—	25	45,5	134,5
Tchécoslovaquie	20	0	9	5	—	19	11	20	15	0	99
Yougoslavie	—	0	0	6	0	0	0	0	0	8,5	14,5
Coopération régionale/Divers	39	0	20,5	20	0	4,5	15	20	0	0	119
Total	105,5	89	77	77,5	35	140,5	57	50	80,5	73	785

NB : 0=aucun financement n'a été octroyé. — = les financement octroyés représentent un montant très minime.

Source : Rapport général d'activité des Communautés européennes pour 1991.
Office des Publications des Communautés européennes.

L'EUROPE PAR ÉTAPES

PASSER LES FRONTIÈRES

LES INSTITUTIONS

LES GRANDS ENJEUX

LA FORMATION

L'EUROPE ÉCONOMIQUE

TRAVAILLER EN EUROPE

L'EUROPE ET LE MONDE

La CEE et les pays méditerranéens

La Communauté, de par sa géographie et son histoire, est à la fois actrice et partenaire du monde méditerranéen. Elle se lance maintenant dans une politique globale, de « proximité », vis-à-vis de cette zone : les pays méditerranéens seront de plus en plus associés à la construction européenne, et notamment à certains processus du marché intérieur : douanes, normalisation, transports. La Communauté participe enfin aux grands programmes internationaux de protection de la Méditerranée.

▄▄▄▄ Maghreb et Machrek : des relations privilégiées

Les liens anciens que certains États-membres, dont la France et le Royaume-Uni, ont tissé avec les pays de ces régions ont permis d'établir avec eux, au niveau communautaire, une coopération originale et privilégiée.

Les accords passés par la CEE avec les pays du Maghreb (Algérie, Maroc et Tunisie) et avec les pays du Machrek (Egypte, Liban, Syrie et Jordanie) sont bâtis sur le même modèle. Ils comportent notamment :

— un régime de préférences commerciales qui ouvrent, dans des conditions privilégiées, le marché communautaire aux produits industriels et agricoles de ces pays ;

— une coopération financière et technique, renouvelée tous les cinq ans, dans laquelle la Banque européenne d'investissement joue un rôle majeur.

A terme, il est prévu de transformer ces accords en accords européens, du même type que ceux passés avec les pays de l'Est.

▄▄▄▄ Des pays associés : Chypre et Malte

La CEE a passé avec ces deux pays des accords d'association, qui prévoient une entrée de la quasi-totalité des produits industriels maltais et chypriotes en exemption de droits dans la CEE, ainsi qu'un traitement préférentiel pour de nombreux produits agricoles. A terme, il est prévu que ces accords aboutissent à une union douanière avec la CEE. Malte et Chypre ont présenté leur candidature à l'adhésion à la Communauté, qui se prononcera courant 1993.

▄▄▄▄ L'ex-Yougoslavie : un avenir incertain

Le démantèlement de la Yougoslavie a remis en cause l'ensemble des relations que la Communauté entretenait avec ce pays : coopération et assistance financière, préférences douanières... En revanche, l'essentiel de ces dispositions ont été reprises individuellement pour chacune des quatre républiques sécessionnistes : Croatie, Macédoine, Bosnie-Herzégovine, Slovénie. Un accord de coopération économique et commerciale est en passe d'être signé avec cette dernière. Sur le plan politique, les États-membres ont décidé de reconnaître l'indépendance de la Croatie, de la Bosnie-Herzégovine et de la Slovénie. La reconnaissance de la Macédoine est suspendue à cause des tensions indépendantistes qu'elle pourrait générer en Grèce. La Communauté a par ailleurs décidé des sanctions économiques contre la Serbie.

LES ÉTATS DU SUD

■ La Turquie : un futur État de la Communauté ?

La Turquie est liée depuis 1963 à la CEE par un accord d'association, qui comporte une clause d'adhésion conditionnelle à la CEE. Ce pays a présenté en conséquence une demande, officiellement repoussée par la Communauté en décembre 1989, sans toutefois que soient contestées ni la légitimité de la demande turque ni la nécessité d'un approfondissement des liens actuels. Les motifs invoqués sont :
— Les structures économiques et sociales de la Turquie, encore trop différentes de celles de la CEE : faible revenu de la population, importance de la population agricole, inflation galopante (60 à 70 % par an), chômage, faiblesse de la protection sociale, industrie fragile et trop protégée de la concurrence extérieure.
— La situation politique : Malgré la démocratisation en cours, les possibilités d'expression des forces politiques et syndicales n'atteignent pas le niveau des Douze. Le problème kurde, de même que le contentieux avec la Grèce sur Chypre sont également des obstacles.
La volonté de « digérer » l'élargissement précédent à l'Espagne et au Portugal, et de privilégier l'approfondissement de la construction communautaire plutôt que son extension géographique a également été un argument. La CEE souligne qu'elle n'accueillera favorablement aucune demande de nouvelle adhésion avant 1993. Les différences culturelles et religieuses n'ont pas été mentionnées, mais ont sans doute joué un rôle.
En revanche, la Turquie et la Communauté ont convenu d'achever totalement leur union douanière en 1995.

■ Israël : un difficile équilibre entre commerce et politique

Un accord de libre-échange lie Israël à la Communauté depuis 1975. En 1978, un protocole de coopération industrielle, scientifique et agricole a été signé, complété par des protocoles financiers. Le troisième protocole financier, entré en vigueur en 1989 pour une durée de cinq ans, prévoit des prêts de la Communauté à hauteur de 63 millions d'ECU. Son adoption a longtemps été retardée par le Parlement européen, en guise de protestation contre la répression israélienne dans les territoires occupés.

■ Les pays méditerranéens et la CEE

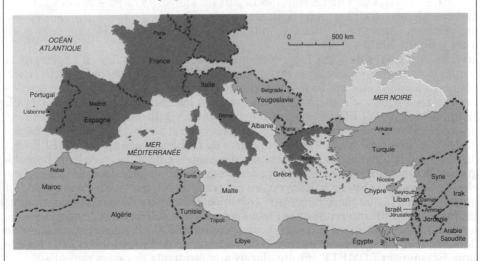

La CEE
et les pays de l'AELE

L'Association européenne de libre-échange (AELE) est une organisation internationale regroupant la Suisse, l'Autriche, l'Islande, la Norvège, la Suède, la Finlande et le Lichtenstein, dont la vocation est d'assurer la liberté des échanges commerciaux entre ses membres. Longtemps rivales, les deux organisations opèrent aujourd'hui un rapprochement progressif, qui devrait aboutir à la création d'une vaste zone commune baptisée *Espace économique européen* (EEE).

▬▬ L'AELE : historique et organisation

☐ L'AELE a été créée en 1960 par la convention de Stockholm, signée par le Royaume-Uni, l'Autriche, le Danemark, la Norvège, le Portugal, la Suède et la Suisse. La Finlande est membre associé depuis 1961. L'Islande a adhéré en 1970. Le Royaume-Uni, le Danemark et le Portugal ont quitté l'AELE lorsqu'ils ont adhéré à la CEE. Le Lichtenstein y a adhéré en 1991.

☐ L'AELE n'a pas la même vocation que la Communauté : dotée d'un secrétariat léger basé à Genève, elle est avant tout une zone de libre-échange et de coordination des politiques de ses membres. Contrairement à la CEE, elle n'a jamais eu l'ambition de créer ni d'union douanière ni de politiques communes. En outre, son fonctionnement est celui d'une organisation intergouvernementale classique, où chaque État garde sa souveraineté intacte.

▬▬ La coopération interrégionale entre la CEE et l'AELE

La CEE et les pays de l'AELE sont liés depuis les années 1972-1974 par des accords de libre-échange : tous les droits de douane et les restrictions quantitatives aux échanges commerciaux entre les deux régions ont été supprimés en 1984, sauf pour quelques produits limités.
La CEE et les pays de l'AELE procèdent à des échanges réguliers d'informations sur leurs politiques économique et monétaire, environnementale, industrielle, énergétique, sociale, d'aide au développement, de transport, etc. La coopération scientifique et technique est également de plus en plus intense : tous les pays de l'AELE (sauf l'Islande) et la CEE mènent des actions communes au sein de Cost, programme de coopération européenne en matière de recherche et de développement technologique. Les entreprises, universités et centres de recherche des pays de l'AELE sont de plus en plus souvent admis à présenter des projets communs, avec leurs homologues de la Communauté, dans le cadre des programmes communautaires de recherche. La Suisse et la Suède participent au programme Jet, qui vise à mettre au point un réacteur de fusion thermonucléaire contrôlée. En matière de télécommunications, les pays de l'AELE interconnectent leurs réseaux de transmission de données avec le réseau communautaire Euronet. Tedis, programme d'échanges électroniques de données, leur est également ouvert. Dans le domaine de l'éducation et de la formation, Erasmus et COMETT ont été élargis aux étudiants des pays de l'AELE.

ÉLARGIR LA CEE

■ Le futur Espace économique commun (EEE)

Le principe de la création de l'EEE a été décidé en 1984. L'accord a été signé en mai 1992. La non-ratification de l'accord par la Suisse fin 1992 retarde son entrée en vigueur. Ses principaux éléments sont les suivants :
— produits industriels : les pays de l'AELE appliqueront les normes et standards développés dans la Communauté en vue du marché unique ;
— marchés publics : ils seront totalement ouverts entre les 19 pays de l'EEE ;
— libre circulation des travailleurs : elle sera effective et totale au 01.01.1993 entre les 19 pays, sauf en Suisse et au Lichtenstein où elle est prévue pour 1998 ;
— transports : les pays de l'AELE reprendront la législation communautaire ;

— agriculture : les pays de l'AELE appliqueront les règles vétérinaires et phytosanitaires de la Communauté, à l'exception des régimes prévus pour les importations en provenance des pays tiers ;
— pêche : les pays de l'AELE ouvriront totalement leurs marchés aux exportations communautaires ; la CEE réduira ses droits de douane sur un certain nombre d'espèces ;
— concurrence : les pays de l'AELE feront leurs les règles communautaires en matière d'aides étatiques, ententes et abus de position dominante.

L'instauration de l'EEE n'est pas exclusive du processus d'adhésion des pays de l'AELE à la Communauté : les négociations ont commencé début 1993 avec l'Autriche, la Suède, la Finlande et la Norvège.

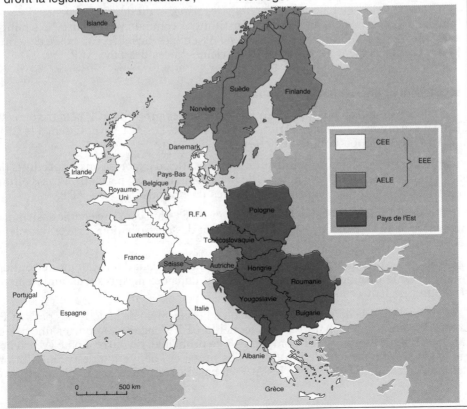

Le futur espace économique européen.

La convention de Lomé

Le 15 décembre 1989, la CEE et 66 pays d'Afrique, des Caraïbes et du Pacifique (pays ACP), rejoints par Haïti, la République Dominicaine et la Namibie, ont signé la quatrième convention de Lomé (« Lomé IV ») qui restera en vigueur dix ans.

▬▬▬ De Yaoundé à Lomé

Deux premières conventions ont été signées par la CEE à Yaoundé (Cameroun) en 1964 et en 1971 avec 19 pays dits EAMA (africains, malgache et mauricien). Elles ont été élargies et renforcées par la première convention de Lomé (Togo) en 1975, renouvelée en 1980, 1986 et 1989.

L'esprit de Lomé repose sur quatre éléments fondamentaux :
— le respect des options politiques et économiques de chaque partenaire ;
— une coopération à long terme, avec des objectifs et un cadre financier contraignants ;
— une coopération globale abordant tous les aspects du développement ;
— un dialogue permanent par le biais d'institutions communes : le Conseil des ministres ACP/CEE, le Comité des ambassadeurs, l'Assemblée paritaire, composée de représentants du Parlement européen et de parlementaires des pays ACP.

▬▬▬ Lomé : une coopération globale

☐ La coopération commerciale : la quasi-totalité des produits ACP pénètre dans la CEE sans droit de douane ni restriction quantitative. Les ACP garantissent à la CEE la clause de la nation la plus favorisée.

☐ Le Stabex : ce système de stabilisation des recettes d'exportation des produits de base des pays ACP, souvent soumis à de fortes fluctuations, permet, en cas d'effondrement des cours, de compenser les pertes de revenus des pays ACP.

☐ Le Sysmin : voisin du Stabex, le mécanisme du Sysmin consiste en une assistance financière de la CEE aux pays ACP connaissant des perturbations graves dans leur secteur minier.

☐ L'ajustement structurel : nouveauté de Lomé IV, il s'agit d'un système de soutien financier de la CEE aux pays ACP s'engageant dans des mesures d'assainissement structurel de leur économie.

☐ Le problème de la dette : sans aller jusqu'à l'effacement de la dette des pays ACP, Lomé IV comporte un chapitre dans lequel la CEE s'engage à apporter une assistance technique aux pays ACP confrontés à ce problème. En outre, Lomé IV privilégie l'aide non remboursable plutôt que les prêts, et l'obligation de reconstitution des ressources du STABEX par les ACP en cas d'épuisement des fonds a disparu.

LA CEE ET LES PAYS ACP

■ Les autres volets de la coopération ACP/CEE

— La coopération technique et financière : des programmes d'investissements économiques et sociaux sont financés.
— La coopération industrielle : le Centre de développement industriel (CDI) est chargé de promouvoir les projets industriels communs. Lomé IV renforce en outre les mesures de promotion et de protection des investissements dans les pays ACP.
— La coopération agricole.
— Les aides d'urgence (réfugiés, catastrophes, famines).
— La coopération dans le domaine culturel et social.
— Lomé IV s'est enrichie de trois volets nouveaux : commerce des services, démographie et environnement, avec notamment l'interdiction de l'importation des déchets toxiques et radioactifs dans les pays ACP.
— La coopération régionale : il s'agit de promouvoir la coopération «Sud-Sud», c'est-à-dire, d'encourager les pays ACP à coopérer entre eux, à réaliser en commun des projets, et à mettre sur pied des systèmes d'intégration économique (marchés communs ou zones de libre échange, par exemple). Il est consacré à ce thème 1 250 millions d'ECU, via des prêts de la BEI, des capitaux à risque et des subventions.

■ Lomé et les droits de l'homme

Peu de pays ACP ont un respect satisfaisant des droits de l'homme. La CEE a réussi à ce que Lomé IV, sans toutefois que la disposition soit contraignante, fasse expressément référence à la nécessité de progresser en la matière. La Communauté s'engage, de son côté, dans deux déclarations conjointes annexées à la convention, d'une part à tout mettre en œuvre pour protéger les ressortissants des pays ACP, étudiants ou travailleurs immigrés, présents sur son territoire, contre le racisme et la xénophobie, d'autre part à dénoncer l'apartheid en Afrique du Sud.

■ Un financement original

Lomé IV est dotée d'un budget de 12 milliards d'ECU pour ses cinq premières années, contre 8,5 milliards d'ECU pour Lomé III. Cette somme transite essentiellement par le Fonds européen de développement (FED) et la Banque européenne d'investissement (BEI) (schéma ci-dessous).

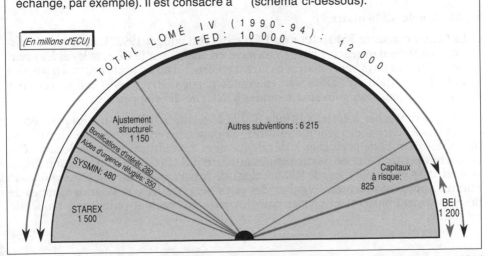

(En millions d'ECU)

TOTAL LOMÉ IV (1990-94) : FED : 10 000 — 12 000

Ajustement structurel : 1 150
Bonifications d'intérêt : 280
Aides d'urgence réfugiés : 350
SYSMIN : 480
STAREX 1 500
Autres subventions : 6 215
Capitaux à risque : 825
BEI 1 200

151

La politique de développement de la CEE

La Communauté européenne et ses États-membres réunis sont, avec plus de 20 000 millions de dollars par an, le premier pourvoyeur d'aide publique aux pays en développement. Cette coopération concerne toutes les parties du monde et prend de multiples formes.

Le Système communautaire des préférences généralisées (SPG)

☐ Les préférences généralisées sont issues de travaux de la CNUCED (Commission des Nations unies pour le développement économique) en 1970. Son principe est d'accorder aux produits industriels finis ou semi-finis, agricoles transformés et textiles des PVD un régime douanier favorable, consistant en des réductions ou des exemptions de droits de douane.

☐ La CEE a été la première à appliquer un SPG aux PVD en 1971. 133 pays peuvent bénéficier du SPG communautaire. Toutefois, seuls 56 d'entre eux l'ont effectivement utilisé (les autres, tels les pays signataires de la convention de Lomé, bénéficiant de régimes spécifiques encore plus favorables). 70 % des importations communautaires en provenance des pays en voie de développement sont couvertes par le SPG. Pour les années 90, la CEE s'oriente vers une plus grande sélectivité : certains pays, désormais industrialisés, ou les producteurs de pétrole, n'ont manifestement plus besoin de ce mécanisme, alors que d'autres, en revanche, parmi les pays les moins avancés, ont vu leur situation s'aggraver, et sont devenus prioritaires au SPG.

L'aide alimentaire

☐ La CEE y consacre 551 millions d'ECU dans son budget 1992. Il convient de distinguer les aides d'urgence, prises totalement en charge par la CEE, et les aides « normales », dont les pays bénéficiaires assurent en général au moins le coût du transport et de la distribution. Ces aides sont en grande partie distribuées et cofinancées par des organisations non gouvernementales (ONG) de développement.

☐ On a pu reprocher à cette politique d'aide alimentaire d'être un alibi pour écouler les stocks agricoles communautaires, de dépendre en conséquence du volume de ces derniers, et de perturber le développement des cultures vivrières locales. Ces reproches peuvent être en partie réfutés aujourd'hui : la CEE a complété son dispositif en 1988 et en 1989, par le financement de programmes de stockage, qui assurent un approvisionnement régulier des pays bénéficiaires, et de programmes de développement agricole et vivrier pour les pays qui veulent renoncer à l'aide alimentaire.

AIDER AU DÉVELOPPEMENT

■ L'aide aux PVD d'Asie et d'Amérique latine

Les accords de Lomé et les accords avec les pays méditerranéens mis à part, une de ses formes les plus achevées concerne les pays dits «non associés» d'Asie et d'Amérique latine. La Communauté mène avec ces pays une coopération financière et technique qui prévoit des actions de développement agricole et alimentaire, des actions d'assistance aux organisations économiques régionales, telles l'Association des nations du Sud-Est asiatique (ANASE) ou le Pacte andin, des actions de formation professionnelle, et des actions de rapprochement des entreprises communautaires et locales.

En outre, un système de stabilisation des recettes d'exportations agricoles des pays les plus pauvres d'Amérique latine et d'Asie, le «STABEX-ALA», calqué sur le modèle du système du même nom fonctionnant dans le cadre de la convention de Lomé, a été instauré en 1992.

■ Les principaux pourvoyeurs d'aide publique au développement

La part de chaque pays dans l'aide au tiers monde (en pourcentage du volume total de cette aide) :

CEE + États-membres	39 %
ÉTATS-UNIS	17,5 %
JAPON	15 %
PAYS DE L'EST	10 %
PAYS DE L'OPEC (producteurs de pétrole)	6,5 %
AUTRES (Chine et pays scandinaves notamment)	12 %

L'aide en pourcentage du PNB :

CEE + États-membres	0,50 %
ÉTATS-UNIS	0,20 %
JAPON	0,31 %

Source : Jean Tanguy, in revue *ESOPE*, n° 468, déc. 1989.

■ L'aide alimentaire de la CEE : produits et destinations

Régions ou organisations	Céréales	Lait en poudre	Butteroil	Huile végétale	Sucre	Autres produits (en millions d'écus)
	(en tonnes)					
Afrique	349 800	1 300	300	7 300	400	8,5
Océan Indien et Pacifique	12 000	—	—	—	—	—
Caraïbes	10 000	—	—	—	—	—
Méditerranée	110 000	3 000	—	8 000	—	—
Amérique latine	59 251	2 680	—	5 800	—	3,075
Asie	210 000	5 000	1 667	1 500	—	—
Total aides directes	751 051	11 980	1 967	22 600	400	11,575
Total aides indirectes	608 949	50 823	5 000	37 400	14 600	38,425
Total général	1 360 000	62 803	6 967	60 000	15 000	50

Source : XXVe Rapport général d'activité des Communautés européennes. Déc. 1991.

ADRESSES UTILES

— **Commission des Communautés européennes**
Adresse générale :
200, rue de la Loi
B - 1049 Bruxelles
— **Bureau de presse et d'information des Communautés européennes**
• A Paris : 288, boulevard St-Germain
75007 Paris
• A Marseille : CMCI / Bureau 320
2, rue Henri-Barbusse
F - 13421 Marseille Cedex 01
— **Conseil des ministres des Communautés européennes**
170, rue de la Loi
B - 1048 Bruxelles
— **Parlement européen**
• A Luxembourg (Secrétariat - administration)
Centre européen
Plateau du Kirchberg
L - 2920 Luxembourg
• A Bruxelles (Commissions parlementaires et groupes politiques)
97-113, rue Belliard
B - 1040 Bruxelles
• A Strasbourg (sessions plénières)
Avenue de l'Europe
F - 67006 Strasbourg Cedex
• A Paris : Bureau d'information du Parlement européen
288, boulevard Saint-Germain
F - 75007 Paris
— **Comité économique et social**
2, rue Ravenstein
B - 1000 Bruxelles
— **Banque européenne d'investissement**
100, boulevard Konrad-Adenauer
L - 2020 Luxembourg
— **Cour de justice des Communautés européennes**
Centre européen
Plateau du Kirchberg
L - 2920 Luxembourg
— **Office statistique des Communautés européennes**
Bâtiment Jean-Monnet
Rue Alcide-de-Gasperi
L - 2920 Luxembourg
— **Ministère des Affaires européennes**
37, quai d'Orsay
75007 Paris
— **Office des publications des Communautés européennes**
2, rue Mercier
L - 2985 Luxembourg

— **Journal officiel des Communautés européennes (JOCE)**
26, rue Desaix
F - 75732 Paris Cedex 15

— **Centre judiciaire de documentation européenne**
Bibliothèque de la cour d'appel de Paris
34, quai des Orfèvres
F - 75001 Paris
— **Antenne du Barreau de Paris auprès des Communautés**
1, avenue de la Joyeuse-Entrée
B - 1040 Bruxelles

— **CEE/États-Unis**
Délégation de la CEE à Washington
2100 M Street, NW (7th floor)
Washington DC 20037
— **CEE/Japon**
Centre de coopération industrielle CEE/Japon
Ichibancho-Eight-One Building
5th Floor
6/4 Ichibancho
Chiyoda-Ku
Tokyo 102
— **CEE/AELE**
Bureau de représentation de l'AELE auprès des communautés
118, rue d'Arlon
B - 1040 Bruxelles
— **CEE/Pays de l'Est**
Bureau TEMPUS
45, rue de Trèves
B - 1040 Bruxelles

— **Bureau européen de l'Assemblée permanente des Chambres d'agriculture**
198, rue Stévin
B - 1040 Bruxelles
— **Comité des organisations professionnelles agricoles de la CEE (COPA)**
Comité général de la coopération agricole de la CEE (COGECA)
Centre européen des jeunes agriculteurs (CEJA)
23/25, rue de la Science
B - 1040 Bruxelles

RÉGIONS

— **FEDER (Fonds européen de développements régional)**
Commission des Communautés européennes
Direction générale XVI - Politique régionale
46, rue du Luxembourg
B - 1049 Bruxelles
— **Administrations nationales compétentes pour le FEDER**
• Délégation à l'Aménagement du Territoire (DATAR)
1, avenue Charles-Floquet
F - 75007 Paris
• Antenne DATAR à Bruxelles
22, rue de la Loi
B - 1000 Bruxelles
• Préfecture de chaque département ou région
— **CCRE (Conseil des communes et des régions d'Europe)**
41, quai d'Orsay
F - 75700 Paris
Bureau Bretagne (Breizh - Europe) à Bruxelles
198, rue Stévin
B - 1040 Bruxelles
— **Antenne à Bruxelles de l'Association du Grand Sud (Aquitaine, Languedoc-Roussillon, Midi-Pyrénées, Alpes-Côte d'Azur)**
55, rue d'Arlon
B - 1040 Bruxelles
— **Maison de la Corse**
52, boulevard Émile-Jacqmain
B - 1000 Bruxelles
— **Antenne à Bruxelles de la région Nord-Pas-de-Calais**
50, boulevard du Régent
B - 1000 Bruxelles
— **Bureau permanent de l'Association du Grand Est à Bruxelles (Alsace-Lorraine)**
55, rue d'Arlon
B - 1040 Bruxelles
— **Délégation de la région Rhône-Alpes à Bruxelles**
45, square Ambiorix
B - 1040 Bruxelles

Bâtiment Jean-Monnet
Rue Alcide-Gasperi
L - 2020 Luxembourg
— **SEDOC**
• ANPE
53, rue du Général-Leclerc
F - 92136 Issy-les-Moulineaux
• ANPE - Délégation régionale
100, rue Boileau
F - 69006 Lyon

ENVIRONNEMENT

— **Bureau européen de l'environnement**
29, rue Vautier
B - 1040 Bruxelles
— **NETT**
5, rue de la Science
B - 1040 Bruxelles

RECHERCHE / TECHNOLOGIE

Relais d'information sur les programmes de recherche et de développement communautaire
• ANVAR
43, rue Caumartin
F - 75436 Paris Cedex 09
• ANRT
101, avenue Raymond-Poincaré
F - 75116 Paris
• EUREKA
Institut français de recherche pour l'exploitation de la mer (IFREMER)
66, avenue d'Iéna
F - 75016 Paris
— **Association européenne pour les transferts de technologie et l'innovation (TTI)**
3, rue des Capucins
L - 1313 Luxembourg

CONSOMMATEURS

— **BEUC (Bureau européen des unions de consommateurs)**
29, rue Royale
B - 1000 Bruxelles

POLITIQUE SOCIALE / EMPLOI

— **FSE (Fonds social européen)**
Ministère du Travail et des Affaires sociales
Mission du Fonds social européen
14, avenue Duquesne
F - 75007 Paris
— **Prêts CECA**
Commission des Communautés européennes
Direction générale XVIII - Crédits et investissements

AUDIOVISUEL

— **MEDIA (Mesures pour encourager le développement de l'industrie audiovisuelle)**
• En général
Commission des Communautés, DG 10
(v. *supra*)
• Production
Club d'investissement MEDIA
Pierre Musso, c/o INA
4, avenue de l'Europe
F - 94366 Bry-sur-Marne

- Distribution
  Bureau européen du cinéma
  14/16, Friedensallee
  D - 2000 Hambourg
- Réalisation
  Fédération européenne des réalisateurs
  de l'audiovisuel
  55, avenue Everard
  B - 1190 Bruxelles
- Formation
  Les Entrepreneurs de l'audiovisuel
  européen
  8, rue Thérésienne
  B - 1000 Bruxelles

— ÉDUCATION / FORMATION / JEUNESSE —

— **COMETT**
- Unité d'assistance technique COMETT
  71, avenue de Cortenbergh
  B - 1040 Bruxelles
- APCCI - Centre d'information COMETT
  45, avenue d'Iéna
  F - 75116 Paris

— **ERASMUS**
- Bureau ERASMUS
  70, rue Montoyer
  B - 1040 Bruxelles
- Centre national des œuvres universitaires et scolaires
  6-8, rue Jean-Calvin
  F - 75005 Paris

— **Jeunesse pour l'Europe**
- Bureau d'échanges de jeunes dans la CEE
  2-3, place du Luxembourg
  B - 1040 Bruxelles
- Institut national de la jeunesse
  Château de Val-Flory
  F - 78160 Marly-le-Roy
- Bureau TEMPUS
  45, rue de Trèves
  B - 1040 Bruxelles

— **Échanges de jeunes travailleurs**
Inter-Échange
9 bis, rue de Valence
F - 75007 Paris

— **LINGUA**
Équipe d'assistance LINGUA
10, rue du Commerce
B - 1040 Bruxelles

— **PETRA**
Cellule d'appui PETRA, IFAPLAN
32, square Ambiorix
B - 1040 Bruxelles

— **EURYDICE - Réseau d'information sur l'éducation dans la CEE**
Unité européenne du réseau EURYDICE
17, rue Archimède, Bte 17
B - 1040 Bruxelles

— **ARION - Programmes de séjour pour spécialistes de l'Éducation**
Équipe d'assistance ARION
Pädagogischer Austauschdienst
Nassestrasse, 8
D - 5300 Bonn 1

— **EUROTECNET**
37, rue des Deux-Églises
B - 1040 Bruxelles

— **IRIS - Réseau communautaire de programmes de formation pour les femmes**
38, rue Stévin
B - 1040 Bruxelles

— **CEDEFOP - Centre européen pour le développement de la formation professionnelle**
22, Bundesallee
D - 1000 Berlin 15

— **Reconnaissance des diplômes**
Système ECTS
Bureau ERASMUS
70, rue Montoyer
B - 1040 Bruxelles

— **HELIOS (Intégration des handicapés)**
79, avenue de Cortenbergh
B - 1040 Bruxelles

— **Forum jeunesse des Communautés européennes**
10, rue de la Science
B - 1040 Bruxelles

— **ERYCA**
101, quai Branly
F - 75740 Paris Cedex 15

— **Bourses et stages à la Commission des Communautés européennes**
Secrétariat général (11/Stages)
200, rue de la Loi
B - 1049 Bruxelles

— **Institut universitaire européen de Florence**
Badia Fiesolina
5, Via dei Roccettini
I - San Domenico di Fiesole - Firenze

— **Collège d'Europe de Bruges**
11, Dijver
B - 8000 Bruges

MARCHÉ INTÉRIEUR
NORMALISATION
LIBRE CIRCULATION
DES MARCHANDISES

— **Comité européen de normalisation (CEN) et Comité européen de normalisation électrotechnique (CENELEC)**
2, rue Bréderode
B - 1000 Bruxelles

— **Institut européen de normalisation pour les télécommunications**
Route Lucioles - Espace Beethoven
F - 06560 Valbonne

— **Fédération internationale européenne de la construction (FIEC)**
9, rue La Pérouse
F - 75116 Paris
— **Union européenne de l'ameublement (UEA)**
15, rue de l'Association
B - 1000 Bruxelles
— **Association européenne de la sidérurgie (Eurofer)**
5, square de Méeus
B - 1040 Bruxelles
— **Confédération européenne des industries du bois**
109/111, rue Royale
B - 1000 Bruxelles
— **Comité des constructeurs d'automobiles du Marché commun**
5, square de Méeus
B - 1040 Bruxelles
— **Conseil européen des fédérations de l'industrie chimique (CEFIC)**
250, avenue Louise
B - 1050 Bruxelles
— **Fédération européenne des associations de l'industrie pharmaceutique (FEAIP)**
250, avenue Louise
B - 1050 Bruxelles
— **COMITEXTIL (association européenne du textile)**
24, rue Montoyer
B - 1040 Bruxelles
— **Bureau européen de l'Assemblée permanente des Chambres de commerce et d'industrie (APCCI)**
1-2, avenue des Arts
B - 1040 Bruxelles

──────── EUROGUICHETS ────────

• Centre français du commerce extérieur
10, avenue d'Iéna
F - 75783 Paris Cedex 16
• Chambre de Commerce de Paris
Point Europe
27, avenue de Friedland
F - 75008 Paris
• Ministère des Affaires européennes
déjà cité
• Ministère de l'Industrie et de l'Aménagement du Territoire
101, rue de Grenelle
F - 75700 Paris
• Agence nationale pour la valorisation de la recherche
43, rue Caumartin
F - 75436 Paris Cedex 19
• Comité d'expansion Aquitaine
2, place de la Bourse
F - 33076 Bordeaux Cedex
• Euroguichet Lyon-Rhône-Alpes
16, rue de la République
F - 69002 Lyon

• Conseil régional de Lorraine
Place Gabriel-Hocquard - BP 1004
F - 57036 Metz Cedex 01
• Chambre de commerce et d'industrie de Nantes
16, quai Ernest-Renan - BP 178
F - 44027 Nantes Cedex 04
• Chambre de commerce de Strasbourg
10, place Gutenberg
F - 67081 Strasbourg

et Chambres de commerce et d'industrie de Clermont-Ferrand, Dijon, Rennes, Orléans, Châlons-sur-Marne, Besançon, Montpellier, Limoges, Poitiers, Toulouse, Lille, Caen, Rouen, Paris, Versailles, Amiens, Marseille, Nice, Avignon.

──────── POLITIQUE DE L'ENTREPRISE ────────

— **Bureau de rapprochement des entreprises (BRE), réseau BC-NET, EUROPARTENARIAT**
Commission des Communautés européennes
Direction générale XXIII - Politique d'entreprise, Commerce, Tourisme, Économie sociale
80, rue d'Arlon
B - 1049 Bruxelles
— **European Business Network (EBN) (association de rapprochement d'entreprises européennes)**
205, rue Belliard
B - 1040 Bruxelles

──────── HOMMES / FEMMES ────────

— **Bureau d'égalité hommes/femmes**
Commission des Communautés européennes
Direction générale X - Service information femmes
200, rue de la Loi
B - 1049 Bruxelles

──────── DÉVELOPPEMENT ────────

— **Comité de liaison des ONG de développement auprès des Communautés européennes**
62, avenue de Cortenbergh
B - 1040 Bruxelles
— **Centre de développement industriel**
28, rue de l'Industrie
B - 1040 Bruxelles

TRANSPORTS

- Association of European Airlines
  350, avenue Louise
  B - 1050 Bruxelles
- Comité des associations d'armateurs de la CEE
  45, rue Ducale
  B - 1000 Bruxelles
- Comité de liaison auprès de la CEE de l'Union internationale des transports routiers
  96, rue d'Arlon
  B - 1040 Bruxelles

BOURSES, ASSURANCES BANQUES, MONNAIE CAPITAUX

- Comité des Bourses de la CEE
  2, rue du Midi
  B - 1000 Bruxelles
- Fédération bancaire de la CEE
  10B, rue Montoyer
  B - 1040 Bruxelles
- Comité européen des assurances
  3 bis, rue de la Chaussée-d'Antin
  F - 75009 Paris
- Association pour l'union monétaire de l'Europe
  26, rue de la Pépinière
  F - 75008 Paris
- Association européenne de capital-risque
  Minervastraat 6
  B - 1030 Zaventem

PARTENAIRES SOCIAUX

- Union des industries de la Communauté (UNICE : patronat européen)
  40, rue Joseph II
  B - 1000 Bruxelles
- Confédération européenne des syndicats (CES)
  37/39, rue Montagne-aux-Herbes-Potagères
  B - 1000 Bruxelles
- Comité européen des petites et moyennes industries (EUROPMI)
  90, rue de Stalle
  B - 1180 Bruxelles
- Secrétariat européen des professions libérales, indépendantes et sociales (SEPLIS)
  Maison des associations internationales
  40, rue de Washington
  B - 1050 Bruxelles
- Comité de coordination des associations de coopératives de la CEE (CCACC)
  62, avenue de Cortenbergh
  B - 1040 Bruxelles
- Comité européen des associations d'intérêt général (CEDAG) c/o GNA
  18, rue de Varenne
  F - 75007 Paris
- Confédération des organisations familiales de la CEE (COFACE)
  17, rue de Londres
  B - 1050 Bruxelles

INDEX

Crédit photographique

p.5 h : Nathan/Roger-Viollet; b : Nathan/Keystone; p.7 h : D.R.;
b : Gamma-Liaison/Sloan; 25 : Italy's News Photos;
27 : Photo News Service-Bruxelles.

Édition : Valérie d'Anglejan - Patrice Rouget
Coordination artistique : Emmanuelle Bril
Maquette : Jean-Pierre Delarue
Cartographie : Jean-Pierre Magnier
Illustration de couverture : Pascal Pinet

N° d'Éditeur : 10020307 - (IV) - 23 - (OSB) - 80 - CP - Achevé d'imprimer en avril 1994
Imprimerie Jean-Lamour, 54320 Maxéville - N° 94030057